JOANNA SCOTT

Les masques de Samantha

Titre original : *Manhattan Masquerade* (117)

Originally published by SILHOUETTE BOOKS
a Simon & Schuster division of Gulf
& Western Corporation, New York

Traduction française de : Jean-Baptiste Damien

31, rue de Tournon, 75006 Paris

1

Samantha Lorrimer se précipita à son bureau et, malmenant les tiroirs avec fracas, elle rassembla hâtivement ses affaires personnelles dans une grande enveloppe brune; puis elle quitta la pièce, la tête haute, claqua la porte derrière elle, écrasa vingt fois le bouton de l'ascenseur pour faire monter la cabine plus vite, et se rua à l'intérieur en bousculant le jeune liftier étonné.

– Qu'est-ce qu'il y a, mademoiselle Lorrimer? Vous ne partez jamais de si bonne heure!

– J'ai donné ma démission, Tommy. Je crois qu'on ne se reverra plus.

En sortant, elle lui fit un signe d'adieu.

– Bonne chance, mademoiselle Lorrimer. Si vous repassez dans les parages, venez me dire un petit bonjour.

Samantha franchit la porte à tambour et se retrouva dans Wall Street, sous un soleil largement masqué par l'ombre des gratte-ciel. Le quartier financier de New York était complètement désert à cette heure : personne ne se serait permis une pause pendant la séance du marché des valeurs. Mais à la clôture, aux environs de 4 heures, hommes d'affaires et secrétaires se précipiteraient vers leur bar ou leur snack favori pour arroser le sandwich avalé sur le pouce au bureau.

« Et moi, se dit Samantha, si je ne décroche pas un autre emploi très vite, je n'aurai même pas droit au sandwich! » Elle réfléchissait aux difficultés qu'elle allait rencontrer pour trouver une nouvelle place, d'autant qu'elle ne pouvait guère compter sur une recommandation de M. Cahill, son dernier patron qu'elle venait de gifler après avoir repoussé ses avances. M. Cahill n'avait pas apprécié du tout sa réaction. Mais aussi, pourquoi les directeurs d'entreprise sexagénaires et affligés d'embonpoint se conduisent-ils avec leur secrétaire comme des don Juan? Tant pis. Elle ne se laisserait pas faire par ces vieillards lubriques, même si elle devait changer d'emploi tous les deux jours.

Elle eut un mouvement de tête irrité et surprit son reflet dans une vitrine. Ses cheveux blonds, séparés par une raie au milieu, retombaient sur ses épaules en une cascade soyeuse. Elle avait des yeux d'un bleu limpide, un petit nez droit, semé de minuscules taches de rousseur qui mettaient en valeur son teint de pêche. Naturellement grande, elle portait exprès des chaussures à très hauts talons pour rehausser encore sa taille. Cependant elle avait une ossature très fine qui la faisait paraître fragile et lui donnait l'allure royale d'une déesse grecque.

« C'est vraiment injuste, pensait-elle tout en marchant. Moi qui ne fais rien pour les encourager, ils me considèrent comme leur proie. Je ne suis qu'une provinciale ordinaire, certainement pas une femme fatale. Est-ce que j'aurai la paix un jour, est-ce que je pourrai travailler tranquille? »

Sous le coup de la colère elle parlait toute seule sans regarder où elle allait, si bien qu'elle percuta le torse puissant d'un passant. Des bras l'entourèrent aussitôt comme pour la protéger. Dans le visage bronzé de l'inconnu, le regard gris, d'abord surpris, exprima bientôt une indulgence amusée. Samantha voulu se dégager. Mais il resserra son étreinte, l'attirant contre lui.

– Pas si vite, dit-il malicieusement. Nous venons à peine de faire connaissance.

Samantha s'écarta pour examiner cet individu qui continuait de lui barrer la route sans perdre son sang-froid. Ses cheveux châtain foncé étaient soignés et bien coupés. La chemise de soie blanche contrastait élégamment avec le complet gris anthracite visiblement fait sur mesure. Il la dépassait d'une bonne tête et, sous le costume classique de l'homme d'affaires, Samantha devina un corps d'athlète.

Gênée, elle s'excusa :

– Je suis désolée. C'est entièrement ma faute. Je marchais sans regarder.

Elle fit un pas pour continuer son chemin, mais il la retint.

– Attendez une minute! Vous n'allez pas disparaître si vite! Laissez-moi au moins vous offrir un café.

Samantha secoua la tête.

– Non, merci. Je suis pressée.

Il la suivit des yeux, perplexe, tandis qu'elle s'éloignait à grandes enjambées. La compagnie d'un homme était bien, à cet instant, la dernière chose qu'elle aurait souhaitée.

Sa colère n'était toujours pas tombée quand elle atteignit le petit immeuble de Greenwich Village où elle partageait un appartement avec une amie. Elle entra dans le salon, jeta son enveloppe sur le canapé et se laissa tomber à côté.

– Sam...? C'est toi? demanda une voix.

Une grande jeune femme brune apparut à la porte de la salle de bains.

– Qu'est-ce que tu fais là de si bonne heure? dit-elle.

En apercevant l'enveloppe brune, elle s'écria :

– Oh non! Ne me dis pas que tu as encore démissionné! Ou est-ce qu'on t'aurait mise à la porte, cette fois?

Samantha envoya promener ses chaussures et ramena ses jolies jambes sous elle.

– Ma chère Janet, répondit-elle, il se trouve que j'ai refusé de remplir certaines fonctions; on m'a donc dispensée de remplir celles pour lesquelles je croyais avoir été engagée.

Janet haussa les sourcils, incrédule.

– Ce n'est pas vrai! Tu ne vas pas me raconter que le vieux Cahill a essayé de te séduire? Il a l'âge d'être ton grand-père! Décidément, je préfère le théâtre, l'atmosphère y est plus saine que dans le monde de la haute finance.

Samantha cala sa nuque contre le dossier du canapé et ferma les yeux.

– Tous des satyres, marmonna-t-elle. Tu sais, moi, je n'ai qu'une envie : faire mon travail et recevoir un salaire correct. Nous avons loué cet appartement ensemble et on ne pourra pas le garder si je ne paie pas ma part du loyer. C'est pourtant ce qui va arriver si je continue à perdre mes emplois l'un après l'autre. Ils sont donc incapables de comprendre, tous ces types? Je ne cherche ni liaison ni aventure, Janet. Ça ne m'intéresse pas. Ce n'est pas mon genre. Tu le sais bien, non?

Janet passa ses mains fines sur ses tempes et ramena en arrière sa longue et brillante chevelure d'ébène.

– Je sais, reconnut-elle. J'ai même des amis qui t'appellent Miss Glaçon. Mais il faut bien reconnaître que si tu as une mentalité d'iceberg, tu n'en as pas exactement la forme. Avec le physique que tu as, tu devrais essayer de travailler comme modèle. Au moins, si tu es obligée de céder aux propositions galantes, tes services seront rétribués à leur juste valeur.

Samantha hocha la tête.

– Allons, Janet, je suis loin d'avoir ce qu'il faut pour ce métier. C'est plutôt toi qui devrais essayer. De toute façon, je suis venue à New York pour réussir dans mon travail. Si j'avais pensé que je devrais accepter... certaines activités annexes pour garder mon emploi... Je voudrais qu'on s'intéresse à mon intelligence, pas à mon anatomie. Il doit bien exister un moyen!

Janet alluma une cigarette et dévisagea pensivement son amie.

– Peut-être, dit-elle enfin. Mais ce serait quand même dommage...

Samantha bondit sur ses deux pieds.

– Tu connais une solution pour conserver son emploi sans subir les manies des vieux vicieux?

– Enfin, je ne sais pas vraiment. C'est une idée tellement farfelue... C'est peut-être ridicule. Mais ça pourrait marcher...

– Raconte! Je suis prête à tout essayer, excepté le meurtre – et encore, il m'est arrivé d'y penser sérieusement. Vas-y, Janet. Dis-moi. Je bous d'impatience. J'en ai tellement assez!

– Tu te rappelles mon tout premier rôle au théâtre? Tu sais bien... au *Cherry Lane*.

Samantha réfléchissait.

– Oui, ça y est. Tu jouais une vieille clocharde qui vendait des pommes dans les faubourgs. La pièce s'appelait *La Rue des illusions perdues*, non? Mais je ne vois pas le rapport.

– Sam, écoute une minute. Regarde-moi. Tu te rappelles la tête que j'avais pour jouer cette vieille clocharde? Le maquillage de théâtre peut faire des miracles. Ton problème, c'est que tu es trop séduisante. Tu n'y peux rien, c'est naturel chez toi. Bon. Mais tu n'as jamais essayé de te transformer, de dissimuler ta beauté. Voilà mon idée. Elle est sans doute stupide, c'est du gâchis mais si c'est réellement ce que tu veux, pourquoi pas? Jc t'aiderai à te maquiller, on ajoutera quelques défauts, des rides... Il faudra trouver une coiffure sévère et d'autres vêtements. Tu verras, tu deviendras aussi peu attirante que possible.

Samantha se pencha vers son amie.

– Tu crois qu'on y arriverait, Janet? Tu en es sûre?

Janet écrasa sa cigarette et sourit.

– Oh! j'en suis tout à fait sûre. Le jeu pourrait même être très amusant. Mais il faut que tu sois sûre de vouloir le jouer, Samantha. N'oublie pas que si tu réussis à écarter les vieux vicieux, tu écarteras en même temps les jeunes et les beaux garçons.

– Je ne demande pas mieux. Les jeunes ont exactement les mêmes idées que les vieux. La seule différence, c'est qu'ils ont moins d'argent mais plus d'énergie. Moi, ce que je veux, c'est empêcher tout individu du sexe masculin de m'approcher de près. Quand est-ce qu'on commence?

Janet se leva.

– Pourquoi pas tout de suite? Allons-y!

Elle emmena Samantha dans sa chambre et l'installa devant la coiffeuse. Elle disposa divers petits pots et flacons de maquillage sur la table et appuya sur un interrupeur. Le miroir de la coiffeuse, encadré d'ampoules, s'illumina d'un éclat vif.

Janet commença par lisser en arrière les cheveux de Samantha, qu'elle enserra sous un large bandeau protecteur. Elle réfléchissait.

– Voyons, dit-elle. Ce nez est trop gracieux pour

une vieille fille ligotée à son travail. On va lui ajouter une toute petite bosse. Voilà, c'est un parfait désastre. Maintenant, quelques rides au coin des yeux et de chaque côté de la bouche... Je vais te mettre une bonne couche de fond de teint grisâtre. Magnifique! Tu n'es plus jolie du tout.

Toute contente, elle se mit à coiffer les cheveux de Samantha en arrière et confectionna un petit chignon serré à la base de la nuque. La belle crinière dorée, si épaisse et si soyeuse en liberté, paraissait terne, sans éclat. Janet posa enfin sur le nez de son amie une paire de lunettes à monture d'écaille et aux verres neutres, puis elle recula pour juger de l'effet général.

– Alors, qu'est-ce que tu en penses? s'écria-t-elle. Est-ce que ce n'est pas un vrai miracle?

Samantha n'en croyait pas ses yeux.

– C'est formidable. Je ne me reconnais même pas moi-même. Je me demande si on va vouloir m'engager, maintenant, avec l'allure que j'ai. En tout cas, si je trouve du travail, je n'ai plus grand-chose à craindre du patron!

– Attends, ce n'est pas fini, dit Janet. Il reste un problème. Il faut absolument faire disparaître ces courbes trop séduisantes...

Janet examinait d'un œil critique le chemisier ajusté dont le décolleté soulignait la séduisante féminité de son amie. Son regard descendit le long de la jupe plissée en fin lainage et s'arrêta sur les longues jambes sveltes. Elle eut une grimace.

– Ce genre de vêtement ne va pas du tout. Bon, viens avec moi... mais enlève d'abord ton maquillage. Nous avons des courses à faire... Je sais exactement où il faut aller.

Un peu plus tard, Samantha entrait, non sans appréhension, dans une boutique dont la clientèle était constituée surtout, de toute évidence, par des femmes d'un certain âge et plutôt rondelettes. Janet l'aida à choisir plusieurs chemisiers blancs, stricts, à col montant, et des ensembles de coupe sévère, dans des tons foncés : marron, bleu marine, vert olive. Elle ajouta encore quelques paires de bas épais en coton beige et des chaussures ordinaires à talons plats.

De retour à l'appartement, Samantha s'empressa d'enfiler ses nouveaux vêtements et contempla le résultat dans le miroir. Elle avait peine à y croire.

– Janet, je ne risque plus rien. Aucun homme n'aura idée de me faire la moindre avance, maintenant. Je suis aussi peu attirante que possible. Je ne sais vraiment pas comment te remercier.

Samantha passa la journée du dimanche à éplucher les petites annonces. Elle en cocha quelques-unes qui lui convenaient et le lundi matin, de bonne heure, elle se mit en route sous un beau soleil, protégée par son déguisement. L'annonce qui l'intéressait le plus venait du groupe *Gary Talbott et Associés*, un des bureaux de change les plus considérés dans la cité. Samantha estimait qu'elle pourrait apprendre beaucoup auprès de tels spécialistes et, si elle savait profiter des bonnes occasions au bon moment, elle espérait trouver peut-être de sérieuses possibilités d'avancement à l'intérieur même de la compagnie.

L'agence *Talbott* occupait tout le dernier étage d'un imposant gratte-ciel et son nom s'étalait en lettres d'or sur les portes de verre. Samantha respira un grand coup, redressa la tête et entra avec détermination. La réceptionniste la dévisagea attentivement.

– Je peux vous aider?

– Oui, merci. Je viens pour l'annonce d'hier. Je

voudrais poser ma canditature au poste de secrétaire.

La jeune fille lui tendit un formulaire imprimé.

– Remplissez d'abord ce papier, s'il vous plaît. Vous pouvez vous installer là-bas, fit-elle en indiquant un petit bureau près de l'entrée.

Samantha commença à écrire. La plupart des questions étaient très simples. Par chance, on ne demandait pas l'âge; heureusement, car elle n'aurait pas pu dire la vérité et elle n'aimait pas mentir. Enfin, elle rendit le formulaire à la réceptionniste, qui le rangea sur son bureau.

Samantha dut ensuite se soumettre à un double test de sténo et de dactylo. Bien que sûre d'elle et connaissant ses qualités, très au-dessus de la moyenne, elle fut soulagée d'en avoir terminé.

La réceptionniste, qui avait l'air aussi contente qu'elle, la conduisit ensuite dans une grande pièce. Assise derrière un lourd bureau, Samantha vit une femme aux cheveux argentés qui lui fit signe d'approcher. Elle portait un ensemble bleu de coupe parfaite et d'une élégance classique, sûrement fort coûteux. Samantha se sentit brusquement mal à l'aise avec son maquillage théâtral et ses vêtements informes.

La femme se présenta sous le nom de Mme Harrison, et l'invita à s'asseoir.

– J'ai l'impression que vous êtes une secrétaire compétente, mademoiselle Lorrimer. Mais vous n'avez pas donné de références. Je suis surprise. Une femme de votre âge a sûrement pas mal d'expérience.

Samantha fut obligée de mentir.

– Jusqu'à présent, je m'occupais d'une parente malade. Mais elle est décédée, et maintenant j'ai besoin d'un emploi.

Mme Harrison fronça les sourcils.

– Vous n'êtes pas exactement la candidate que j'attendais, mais j'ai l'impression que vous pourriez convenir. Comme vous le savez, l'agence *Talbott* a une très grosse réputation. Nous avons des succursales dans le monde entier. Bien que l'entreprise se nomme *Talbott et Associés*, elle est en réalité dirigée par un seul homme : M. Gary Talbott. Pendant des années, j'ai été sa secrétaire particulière. Mais nos activités se sont tellement développées que j'ai maintenant à assurer des fonctions de direction. Evidemment, je ne peux pas être partout à la fois. M. Talbott a besoin de quelqu'un pour s'occuper de sa correspondance personnelle et de ses rendez-vous d'affaires. Je n'ai plus le temps de m'en charger. Tout naturellement, nous avons d'abord pensé confier le poste à l'une des dactylos de notre équipe; malheureusement, elles sont toutes trop jeunes et ne s'intéressent pas qu'à leur travail. M. Talbott, il est bon que vous le sachiez, n'aime pas du tout mêler profession et vie privée. Mais vous avez l'air très posée, très équilibrée. Je suis sûre que vous n'aurez pas ce genre de défaut. Toutefois, c'est M. Talbott qui prendra la décision finale. Je vais lui demander s'il peut vous recevoir. Excusez-moi un instant, mademoiselle Lorrimer.

Samantha avait du mal à croire les paroles qu'elle venait d'entendre. Enfin un patron qui ne s'intéressait qu'aux relations strictement professionnelles! Et quel patron! Gary Talbott, le magicien de la finance, le sorcier de Wall Street! Elle en apprendrait davantage en travaillant avec lui que dans tous les cours du soir réunis.

Quelques minutes plus tard, Mme Harrison l'introduisait dans une vaste pièce lambrissée. Le mur du fond n'était qu'une grande baie vitrée, offrant une vue extraordinaire sur le port de New York. Les meubles, tous en teck, étaient brillants, massifs, et d'une élégante sobriété. L'homme assis derrière son bureau se leva et tendit la main à Samantha. Le hâle de son visage était souligné par une chemise de soie blanche, éclatante sous le costume de lainage gris sombre qui laissait deviner des muscles puissants. Mais Samantha ne pouvait détacher son regard de ses yeux perçants qui la figeaient sur place. Elle venait de reconnaître l'homme qu'elle avait heurté, deux jours auparavant, dans Wall Street. Elle avala nerveusement sa salive, persuadée que, si quelqu'un était capable de la démasquer sous son déguisement, c'était bien Gary Talbott. Il la dévisageait d'ailleurs d'un regard attentif, mais ne parut pas la reconnaître et se comporta comme s'il la voyait pour la première fois.

Samantha se ressaisit en entendant sa voix profonde et autoritaire.

– Asseyez-vous, mademoiselle Lorrimer. Mme Harrison m'a parlé de vous avec beaucoup de chaleur. Elle vous a expliqué que j'ai absolument besoin d'une secrétaire particulière. C'est un travail intéressant mais difficile. Il n'y a pas d'heure et, lorsque que nous nous engageons dans une transaction importante, il nous arrive de travailler toute la nuit. Il faudrait que vous soyez disponible en cas de nécessité.

Samantha hocha la tête.

– Je suis tout à fait libre. Je serai à votre disposition quand vous aurez besoin de moi.

Gary Talbott eut un sourire éblouissant.

– Madame Harrison, je crois que nous avons trouvé la personne qu'il nous faut.

Il consulta quelques papiers et s'adressa à Samantha :

– Vous êtes au courant du salaire et de toutes les autres conditions de travail?

Elle acquiesça et il ajouta :

– Parfait. Quand pouvez-vous commencer?

– Tout de suite si vous voulez. Je n'ai rien de prévu pour le reste de la journée.

– De mieux en mieux! s'écria-t-il avec une satisfaction sincère. Mme Harrison va vous montrer votre bureau. J'aurai besoin de vos services immédiatement.

Samantha suivit Mme Harrison qui lui indiqua un bureau situé juste à côté de celui de Gary Talbott. Elle écouta attentivement les explications sur le fonctionnement des diverses machines, le rangement des fournitures et autres papiers. Bientôt, l'interphone bourdonna et Samantha, attrapant bloc et crayons, regagna le bureau de son patron.

Gary Talbott était adossé à son grand fauteuil de cuir noir et son profil élégant se découpait sur la lumière de la baie vitrée. A l'arrivée de Samantha, il fit pivoter son siège.

– J'ai quelques lettres à vous dicter. Asseyez-vous.

Il s'exprimait avec rapidité et précision, prenant à peine le temps de s'arrêter entre les phrases. En une heure, il avait dicté sept lettres.

– Croyez-vous que nous pourrons les poster ce soir?

Samantha referma son bloc.

– Je ne partirai pas avant de les avoir tapées, monsieur. Elles seront postées aussitôt. Avez-vous besoin d'autre chose?

Talbott se laissa aller confortablement dans son fauteuil.

– Non, c'est tout. Merci, mademoiselle Lorrimer.

Il lui sourit et elle ne put s'empêcher de rougir. Un étrange frisson glacé lui parcourut le dos. Elle se précipita hors du bureau.

Aucun doute, quelque chose ne tournait pas rond et il fallait trouver tout de suite un remède.

Elle imagina la réaction de Gary Talbott s'il se rendait compte que la paisible Mlle Lorrimer avait des palpitations chaque fois qu'il lui souriait. Ce travail était trop important pour qu'elle risque de le perdre en commettant les mêmes erreurs que les jeunes dactylos.

Samantha était en train de taper la dernière lettre quand la porte s'ouvrit sur une jeune fille blonde, aux traits délicats, vêtue d'une robe vaporeuse d'un rose exquis, dont la jupe virevoltante révélait de fort jolies jambes. Elle salua Samantha d'un petit signe de tête.

– Vous êtes la nouvelle secrétaire de Gary? Je suis ravie pour lui. Vous avez l'air tellement... capable et sérieuse. Moi, je suis Denise Gérard, la fiancée de Gary. Ne vous dérangez pas, il m'attend.

Samantha se leva vivement, lui barrant le passage.

– Excusez-moi, mademoiselle Gérard, mais j'ai reçu l'ordre d'annoncer tous les visiteurs sans exception. Voulez-vous patienter une petite minute, s'il vous plaît? Je l'avertis.

Les yeux de Denise étincelèrent de colère, mais elle ne discuta pas. Gary Talbott était déjà sur le pas de la porte, un sourire désinvolte aux lèvres. Il s'adossa au mur, les bras croisés, et observa les doigts de Denise qui tambourinaient nerveusement sur le bureau de Samantha.

– Mademoiselle Lorrimer, je dois vous avouer que vous m'impressionnez! Aucune secrétaire n'a jamais eu le temps d'annoncer l'arrivée de Mlle Gérard. En général, elle fonce toute seule dans mon bureau, sans se soucier de m'interrompre en plein travail.

Denise s'approcha de lui et lui passa les bras autour du cou.

– Mais, mon cher, il me semble que vous ne détestez pas mes interruptions. Vous ne vous en êtes jamais plaint, jusqu'à maintenant. Venez, allons dans votre bureau. Je veux vous dire bonjour mieux que ça.

La porte se referma derrière eux.

Inexplicablement, Samantha était terriblement contrariée. Elle se sentait parfaitement affreuse dans sa terne défroque marron. Mais c'était bien ce qu'elle avait voulu? Alors, pourquoi ce désir soudain de redevenir séduisante? Ces caprices n'avaient aucun sens. Elle n'avait pas encore l'habitude de sa nouvelle image, probablement. Il lui faudrait une période d'adaptation. D'un seul coup, elle se vit entrer dans le bureau de Gary, avec sa robe la plus sexy. Lui la regardait comme il venait de regarder Denise Gérard. Elle secoua la tête pour chasser cette vision idiote. Elle était ici pour travailler. Il ne s'agissait pas qu'elle perde le meilleur emploi qu'elle ait jamais eu.

Peu après, Gary et Denise sortirent du bureau. Talbott tenait sa fiancée par la taille, et Denise s'accrochait à lui comme un petit chat.

– Je m'en vais, mademoiselle Lorrimer, dit-il. Dès que vous aurez fini ce travail, rentrez chez vous. Si vous avez le moindre embarras, consultez Mme Harrison.

Samantha quitta le bureau moins d'une heure plus tard et prit l'autobus au coin de la rue. La soirée était douce, mais elle se sentait fatiguée et avait hâte de se retrouver chez elle. Janet l'attendait dans l'appartement, allongée sur le canapé.

– Alors? demanda-t-elle. Tu as trouvé quelque chose? Ça s'est bien passé? Raconte.

Samantha se dirigeait vers sa chambre et Janet se leva pour la suivre.

– Tu te décides à parler, ou tu veux que j'explose de curiosité.

Samantha commença à se déshabiller.

– J'ai trouvé un emploi formidable à l'agence *Talbott et Associés*. Je suis la secrétaire particulière de Gary Talbott, le président. Attends, ce n'est pas tout. Si j'ai obtenu la place, c'est grâce à mon physique. Ils voulaient offrir cette promotion à une employée de la société, mais aucune n'est assez sérieuse pour le poste, paraît-il. Tu te rends compte? Je te dois une fière chandelle, Janet. C'est la plus grande chance de ma vie.

Janet éclata de rire.

– Sam, tu es complètement folle. Tiens, tu ferais mieux d'enlever la mélasse que tu as sur la figure avant d'attraper des boutons. Le maquillage n'est pas très bon pour la peau, tu sais.

– Je sais, je sais. D'ailleurs, pour être franche, je t'avouerai que j'ai hâte de me débarrasser de tout cet attirail. Je suis ravie du résultat sur le plan professionnel, mais je me sens quand même très mal à l'aise. Je ne suis qu'un mensonge ambulant et je déteste ça.

Une fois douchée et aspergée d'eau de Cologne, Samantha passa une longue robe d'hôtesse en tissu léger, imprimé de couleurs vives. Le décolleté en pointe atteignait la fine cordelière qui enserrait la taille haute, soulignant sa poitrine libre et parfaite. Soulagée, Samantha se dirigea vers la cuisine.

Janet leva vers elle des yeux admiratifs.

– Ma vieille, tu as l'air d'une star. Où est la terne créature laborieuse qui est entrée dans cet appartement il y a une demi-heure? Le spectacle n'est tout de même pas annulé après une seule représentation?

– Arrête, Janet. J'avais trop envie de mettre quelque chose de joli et de féminin. C'est une espèce de compensation, tu comprends, après une journée de laideur.

– Ne te fatigue pas. Je comprends très bien. Dommage que tu gaspilles toute ta séduction pour moi. Si tu as l'intention de renouveler le miracle tous les soirs, nous pourrions peut-être inviter à dîner quelques représentants du sexe opposé. Ici, ce n'est pas le bureau.

– Non, vraiment, Janet. Je ne ressens aucun besoin de compagnie masculine. Je suis contente seulement d'être agréable à regarder. Maintenant, on va dîner et je vais tout te raconter. Je voudrais me coucher tôt. Demain, je veux arriver au travail de bonne heure et en forme, si possible. J'ai le pressentiment que Gary Talbott va être un patron très exigeant.

2

Le lendemain matin, Samantha était au bureau dès 8 heures. Elle trouva les lieux déserts à l'exception de Billy, le préposé au courrier, qui ramassait quelques lettres oubliées la veille. Il l'accueillit avec surprise.

– Qu'est-ce qui se passe? Le personnel ne commence pas avant 9 heures.

– C'est ma première vraie journée de travail. Je voulais être prête avant que M. Talbott arrive. Voyez-vous, j'ai l'intention de garder ma place un peu plus longtemps que les secrétaires précédentes, dont j'ai entendu parler.

Billy sourit, et son œil candide glissa sur les contours de sa silhouette.

– Ne vous inquiétez pas. Vous ne ressemblez vraiment pas à ces filles-là. Je suis sûr que Mme Harrison et M. Talbott seront très contents de vous.

Samantha s'appuya contre le dossier de sa chaise et haussa les sourcils.

– Qu'est-ce que Mme Harrison vient faire làdedans? Je croyais que je travaillais pour Gary Talbott. Il me semble que c'est lui qui doit être content de moi.

Billy se mit à rire et vint s'asseoir sur le bord de son bureau.

– Vous ne connaissez pas encore la maison. Je

vais vous expliquer. Lavinia Harrison mène sa barque d'une main de fer. Quand elle prétend que le seul à diriger la maison, c'est Gary Talbott, n'en croyez pas un mot. Lui, c'est le cerveau. Il négocie avec les plus grosses fortunes du monde et ses décisions pèsent lourd. Mais tout le reste, l'organisation intérieure de la boîte et tout ça, il s'en moque. C'est là qu'intervient Mme Harrison. C'est un pilier de la maison. Elle est là depuis toujours. Autrefois, elle était sa secrétaire particulière et elle a gardé l'habitude de le couver comme une mère poule, vous voyez ce que je veux dire? Personne n'est assez bien, à ses yeux, pour occuper le poste. Du moins jusqu'à votre arrivée. Alors, si vous voulez rester dans la place, vous avez intérêt à faire attention à elle. (Il jeta un coup d'œil à sa montre.) Bon, il faut que je file. Si vous avez besoin de moi, vous n'avez qu'à appeler.

Samantha était perplexe. Les explications de Billy la tourmentaient. Et, comme pour répondre à ses pensées, Mme Harrison passa la tête dans l'entrebâillement de la porte.

– Eh bien! vous êtes matinale. Vous êtes là depuis longtemps?

– Je voulais mettre un peu d'ordre dans mes affaires avant l'arrivée de M. Talbott. S'il a besoin de moi tout de suite, je ne le ferai pas attendre.

– Félicitations, mademoiselle Lorrimer. Je suis sûre que votre initiative sera appréciée. A tout à l'heure. Je viendrai voir comment ça va.

Samantha passa l'heure suivante à vérifier le classement des dossiers. En même temps, elle commençait à se familiariser avec les diverses activités de la compagnie. Debout sur un tabouret, elle essayait d'ouvrir un tiroir hors de sa portée lorsque Gary Talbott ouvrit la porte. Les bras encore levés, dressée sur la pointe des pieds, elle tourna la tête et le vit en train d'observer ses longues jambes, que sa position dévoilait parfaitement. Elle rougit, sauta du tabouret et rajusta sa jupe. Talbott étudiait maintenant l'expression embarrassée de son employée. Il observait particulièrement ses yeux, cherchant à y trouver la solution de l'énigme qu'il tâchait de déchiffrer.

Sans rien laisser paraître de ses doutes, il s'adressa à Samantha :

– Bonjour, mademoiselle Lorrimer. Je vais aller chercher une tasse de café et puis vous m'apporterez mon carnet de rendez-vous. J'aimerais que nous examinions ensemble mon emploi du temps.

– Préférez-vous en parler tout de suite ou attendre d'avoir fini votre café?

– Tout de suite, pourquoi pas? Venez me rejoindre dans mon bureau. Votre principale responsabilité sera d'organiser mes rendez-vous. Tous les matins, nous ferons un pointage précis de la journée.

Samantha s'éclipsa et revint aussitôt, le carnet de rendez-vous à la main.

– Quels sont mes engagements pour aujourd'hui? demanda-t-il.

– Votre matinée est libre, monsieur. Ensuite vous avez un déjeuner à 1 heure avec M. James Carson. Voulez-vous que je réserve quelque chose?

– Oui, s'il vous plaît. Je crois que Mme Harrison connaît les restaurants préférés de M. Carson. Demandez-lui tous les renseignements nécessaires. J'espère que je n'ai rien prévu d'autre? Quand M. Carson arrive de Hollywood, je suis indisponible toute la journée.

Les yeux de Samantha s'agrandirent d'intérêt.

– De... de Hollywood? C'est le... le célèbre acteur de cinéma? James Carson, la vedette?

Gary ne put s'empêcher de sourire.

– Oui, mademoiselle Lorrimer. C'est bien lui, l'acteur de cinéma, l'idole de toutes les femmes. Elles n'y résistent pas. (Son sourire s'élargit.) Mais j'avoue que je ne m'attendais pas à ce que vous fassiez partie de ses adoratrices.

Le visage de Samantha s'empourpra sous son épais maquillage grisâtre. Ses joues étaient brûlantes.

– Je ne suis pas une de ses adoratrices. Je suis surprise, c'est tout. Je ne m'attendais pas à la visite d'une personne aussi célèbre et j'ai été prise au dépourvu.

Gary croisa les mains sur son bureau.

– Il ne s'agit pas d'une visite mondaine, mademoiselle Lorrimer. M. Carson est un de nos clients. Pour ne rien vous cacher, il n'est pas le seul. Beaucoup d'autres sont aussi célèbres que lui. J'espère que vous n'avez pas l'intention de rougir comme un coquelicot à chaque rendez-vous.

Samantha se raidit. Gary Talbott se moquait d'elle. Peut-être n'imaginait-il pas qu'une femme aussi quelconque puisse s'enticher d'un bel acteur de cinéma.

– Je n'ai pas l'habitude de négliger mon travail sous n'importe quel prétexte, monsieur. Mon attitude ne sera jamais de nature à gêner l'agence ou l'un de ses clients, je peux vous l'assurer.

Samantha se dirigea vers la porte d'un pas digne. Elle sentit le regard de Gary Talbott lui percer le dos.

Assise à son bureau, elle s'efforçait de retrouver son calme avant de revoir Mme Harrison. Quel toupet! se disait-elle en serrant les poings. N'était-elle à ces yeux qu'une machine, incapable de la moindre émotion? Tout le monde serait impressionné à l'idée de rencontrer un célèbre acteur de cinéma. Pourquoi pas elle?

Bien sûr, comment Gary Talbott serait-il ému par quoi que ce soit? Il était bien trop froid et trop détaché.

Sa réputation dans son métier était si grande que les acteurs de cinéma et les plus grands hommes politiques se fiaient entièrement à lui pour gérer leurs affaires financières. Il n'aurait pas cillé devant le pape! Naturellement, il n'envisageait pas moins de froideur que d'assurance chez sa secrétaire. Après tout, Samantha devait s'en souvenir, c'était son maintien sobre et sa réserve qui lui avaient valu d'être choisie par Gary Talbott.

Si elle voulait conserver ce travail, elle avait intérêt à maîtriser ses émotions comme elle avait maîtrisé son apparence physique avec tant d'effort. Elle respira un bon coup et décrocha le téléphone pour s'informer auprès de Mme Harrison du restaurant préféré de James Carson. Ensuite elle appela le restaurant pour réserver une table.

Elle reposait le combiné lorsque James Carson en personne apparut dans le bureau. Son estomac se noua brusquement mais elle fit son possible pour se ressaisir.

– Monsieur Carson, M. Talbott vous attend. Asseyez-vous une minute, je vais lui dire que vous êtes là.

Averti par l'interphone, Talbott arriva aussitôt et secoua énergiquement la main de James Carson.

– James! Je suis ravi de vous revoir. Entrez, j'ai des choses à vous dire sur la situation financière. Mademoiselle Lorrimer, voulez-vous nous apporter du café, s'il vous plaît? M. Carson le prend noir. C'est bien ça, James?

– Parfaitement. Merci.

La porte se referma sur eux.

Le plateau en main, Samantha frappa timidement à la porte du bureau de Gary Talbott. En servant d'abord James Carson, elle remarqua qu'il l'examinait avec attention, scrutant son visage, puis ses mains. Son regard errait sur son corps tandis qu'elle s'avançait pour servir Gary.

Elle sentit une rougeur subite lui envahir les joues, ce que Gary ne manqua pas de remarquer. Malgré le mépris qu'il exprima devant cette nouvelle réaction d'écolière, qui semblait le décevoir beaucoup, Samantha réussit à contrôler sa voix.

– Désirez-vous autre chose, monsieur Talbott?

– Merci, pas pour le moment, mademoiselle Lorrimer. Assurez-vous seulement que nous ne soyons pas dérangés. Si j'ai besoin de vous, je vous appellerai par l'interphone.

Samantha traversa la pièce dans un silence lourd. Une fois la porte refermée derrière elle, elle s'assit à son bureau, extrêmement mécontente d'elle-même. Quelle mouche la piquait? Elle avait à portée de sa main une chance inespérée, et voilà qu'elle gâchait tout par une conduite puérile. Pourquoi se sentait-elle si agitée? Janet avait peut-être raison. Elle n'était probablement pas de taille à faire carrière dans le monde de la finance. Elle ne se conduisait pas mieux que cette bande de secrétaires écervelées. Dans quel pétrin s'était-elle fourrée!

Quelques heures plus tard, la voix de Gary Talbott retentit à travers l'interphone :

– Mademoiselle Lorrimer, avez-vous réservé une table pour le déjeuner? Nous allons partir.

– Oui, monsieur Talbott. On vous attend vers 13 heures. Je vais confirmer votre arrivée.

Elle n'avait pas fini de parler au téléphone qu'elle devina une présence derrière elle. James Carson l'observait. Dieu merci, cette fois pas de rougeur, pas de confusion. Elle se maîtrisa parfaitement et lui adressa son sourire le plus suave.

– Avez-vous besoin de quelque chose, monsieur Carson?

– Non, pas vraiment, répondit-il de cette voix chaude et traînante qui lui valait sa célébrité.

Il s'assit sur le rebord du bureau et examina le visage de Samantha de son regard bleu acier.

– Je me demande seulement ce qui peut pousser une jeune femme aussi séduisante que vous à s'affubler d'horreurs et à se couvrir la figure d'un maquillage de théâtre à couper au couteau.

Samantha manipula quelques papiers d'un air affairé.

– Je ne vois pas de quoi vous parlez, monsieur Carson.

– Mais si, mais si, mademoiselle Lorrimer. Seulement vous ne voulez pas me faire partager votre petit secret. Je vous avertis quand même que je suis un homme très têtu, et que je n'aurai la paix que lorsque je l'aurai trouvé.

Gary apparut, enfilant une coûteuse veste de mohair.

– Venez, James. Ne perdez pas votre temps. Gardez vos compliments pour vos starlettes ravies de l'aubaine. Ce n'est pas tous les jours qu'on déniche une secrétaire de la classe de Mlle Lorrimer, et je ne veux pas que vous la fassiez fuir.

Carson adressa à Samantha un sourir complice.

– Ne dites rien. Je crois que je comprends parfaitement la situation. Ça m'intrigue même de plus en plus. Il faut absolument qu'on en discute, vous et moi, en privé.

Gary regarda James Carson avec une certaine inquiétude.

– Non, non, James, je ne plaisantais pas. Il ne faut plus taquiner Mlle Lorrimer. Ce n'est pas votre genre de femmes. Vous savez, elles ne sont pas toutes prêtes à succomber à votre charme. Il en existe qui sont capables de résister.

– Mon cher Gary, vous savez bien que rien ne m'attire autant que le défi! J'ai bien envie de faire plus ample connaissance avec votre précieuse secrétaire... en dehors du bureau, bien sûr.

Gary secoua la tête.

– James, vous êtes incorrigible! dit-il en riant. Vous croyez-vous obligé de séduire toutes les créatures du sexe féminin que vous rencontrez?

James fit un clin d'œil à Samantha.

– On ne sait jamais, Gary. Les fruits les plus appétissants se cachent parfois sous une écorce rébarbative. Pour apprécier toute leur saveur, il faut d'abord arracher l'emballage! Je suis bien certain que vous comprenez ce que je veux dire.

Là-dessus, il sauta du bureau et, à la suite de Gary, quitta la pièce. Samantha ne savait plus que penser.

Elle se mordillait sa lèvre inférieure, s'efforçant de retrouver son sang-froid, lorsque Billy apparut.

– Vous n'êtes pas bien, demanda-t-il. Vous tremblez comme une feuille.

– James Carson vient de sortir d'ici. La présence d'une personne aussi célèbre m'a un peu énervée, je suppose. Pourtant, d'habitude, je ne suis pas si émotive...

Billy sourit.

– Il faudra pourtant que vous preniez l'habitude de rencontrer des célébrités. M. Talbott ne travaille qu'avec le gratin de New York et de Hollywood. Sa clientèle c'est une superproduction! Et ajoutez à ça quelques personnalités des sports, vous aurez une idée de ce qui vous attend.

– Je sais. J'ai peur que ma réaction à la visite de M. Carson l'ait un peu contrarié. Il attend de moi que je me tienne comme une statue, totalement insensible à ce qui peut arriver dans ce bureau.

– Pour ça, vous avez raison. Talbott est le type le plus froid que j'aie jamais rencontré. Il ne connaît que les chiffres. D'ailleurs Mme Harrison est un peu du même genre. Ils vous ont choisie, je suppose, parce qu'ils ont pensé que vous leur ressemblez.

La porte s'ouvrit et Mme Harrison entra dans le bureau. Elle regarda sévèrement le jeune postier.

– Vous n'avez donc rien à faire, Billy?

Avec un coup d'œil vers Samantha, Billy disparut sans discuter.

Mme Harrison fronça les sourcils.

– Je ne vous ai pas parlé de Billy. C'est un garçon qui parle beaucoup trop et je vous conseille de ne pas écouter ses bavardages. Comment s'est passée la matinée?

– Je commence à y voir un peu clair. Mais j'ai bien peur que mon attitude ait déplu à M. Talbott tout à l'heure, quand M. Carson est arrivé. C'est la première fois que je rencontre une célébrité, et j'avoue que j'étais un peu émue.

Curieusement, Mme Harrison ne parut pas contrariée.

– Je comprends votre embarras, mon petit. Nous aurions dû vous avertir du genre de clientèle que vous allez rencontrer. N'importe quelle femme serait troublée de se trouver brusquement devant James Carson. Même des femmes de tête, comme vous et moi.

« Comme vous et moi! » Samantha se crispa. Mon Dieu, se dit-elle, Mme Harrison est convaincue que nous sommes de la même trempe, toutes les deux, et c'est pour cela qu'elle m'a engagée.

– En tout cas, dit-elle en maîtrisant son embarras, je puis vous garantir que cela n'arrivera plus.

Mme Harrison sourit.

– Oh! je n'en doute pas. D'ailleurs, si j'ai conseillé à M. Talbott de vous confier ce poste, c'est bien parce que je vous estime capable de faire face à de telles situations. Bien. N'en parlons plus. Je venais vous demander si vous êtes libre pour déjeuner. En général, je vais dans une cafétéria un peu plus agréable que les restaurants populaires du quartier. Voulez-vous m'accompagner?

En l'absence de tout prétexte valable qui lui aurait permis de refuser poliment l'invitation, Samantha fut contrainte d'accepter, et les deux femmes sortirent ensemble du bureau.

Le déjeuner avec Mme Harrison constitua pour Samantha une telle épreuve qu'elle poussa un soupir de soulagement une heure plus tard, en refermant la porte de son bureau. Gary Talbott n'était pas encore rentré, et elle profita de ces quelques minutes de tranquillité pour vérifier son maquillage et reprendre ses esprits. Elle avait dû subir un interrogatoire en règle, de la part de Mme Harrison, sur sa vie privée. Bien qu'elle ait à peu près réussi à éviter des réponses trop précises en détournant la conversation sur des sujets plus généraux, elle était déterminée, dorénavant, à l'éviter autant que possible.

L'après-midi était largement avancé lorsque Gary et James Carson revinrent de leur déjeuner. Samantha s'aperçut tout de suite que Carson avait trop bu, mais Gary, lui, ne perdait rien de son sang-froid. Il s'effaça pour laisser entrer son client qui vint immédiatement se percher sur le coin du bureau de Samantha.

– Je vous rejoins tout à l'heure, Gary. Je n'ai pas la tête à parler affaires pour l'instant et je voudrais en savoir davantage sur cette nouvelle secrétaire qui ne manque pas d'intérêt.

Nullement impressionné, Gary le saisit fermement par le coude. Carson était peut-être une star de cinéma, songeait Samantha, c'était encore Gary qui dominait la situation. Son regard était dur. Sa voix sèche, autoritaire.

– Allons, James. Il y a un canapé confortable dans mon bureau. Vous pourrez vous reposer un moment si vous en avez besoin. Je vous ai demandé de ne plus importuner Mlle Lorrimer. Soyez gentil de ne pas insister.

Sans discuter, Carson se laissa entraîner dans le bureau de Talbott.

Tout de suite après, Gary rejoignit Samantha.

– Je suis désolé, mademoiselle Lorrimer. Le comportement de M. Carson est inexcusable. Mais vous savez, c'est sans méchanceté.

Il la dévisagea quelques instants en réfléchissant. Samantha se troubla.

– Je ne comprends pas son acharnement, d'ailleurs. C'est vrai, il aime bien taquiner les jeunes filles du bureau, mais il n'a jamais fait la moindre avance à Mme Harrison. Vous, vous êtes plutôt le même genre de femme qu'elle, il me semble.

– Je vous en prie, ce n'est pas grave, répondit Samantha. C'est très gentil à lui de m'avoir traitée comme si j'étais jeune et séduisante. Mais je ne suis pas dupe et ses amabilités ne changeront rien.

– J'en suis heureux, mademoiselle Lorrimer. Vous n'imaginez pas à quel point la présence d'une personne honnête et raisonnable me réconforte. J'avais peu d'espoir de trouver une remplaçante digne de Mme Harrison. Je suis ravi de vous avoir rencontrée.

Samantha frémit sous cette avalanche de compliments. Honnête et raisonnable, mon Dieu! Pouvait-on être moins honnête qu'elle. Cette comédie qu'elle jouait, si Gary la découvrait, qu'irait-il penser d'elle? Et James Carson? Jusqu'où pousserait-il son enquête, maintenant qu'il s'était mis en tête de découvrir son secret?

La voix calme de Gary la ramena à la réalité.

– Avez-vous eu des messages pendant mon absence?

Samantha lui tendit une feuille de papier.

– Le standard a enregistré ces appels pendant que je déjeunais avec Mme Harrison. J'espère que j'ai bien compris, mais si vous voulez, je peux les vérifier.

Gary étudia rapidement les messages.

– Merci, mademoiselle Lorrimer. C'est parfaitement clair. J'ai plusieurs lettres à vous dicter, mais j'ai l'impression que James Carson ne va pas libérer mon bureau avant longtemps. Prenez votre bloc, on va travailler ici.

L'après-midi passa à rédiger le courrier, puis Gary regagna son bureau, tandis que Samantha commençait à taper les lettres. Quand elle fut prête à les faire signer, elle frappa au bureau de Talbott et entra dans la pièce. Son premier regard fut pour James Carson, qui sommeillait toujours, étendu paisiblement sur le canapé. Gary observait sa secrétaire.

– Vous avez besoin de quelque chose, mademoiselle Lorrimer?

– Si vous signez le courrier tout de suite, monsieur, je pourrai le poster ce soir.

En lui tendant les lettres ses doigts frôlèrent ceux de Talbott. Samantha retira vivement sa main comme si elle venait de se brûler. Les yeux de Gary, fixés sur elle, brillaient d'ironie amusée.

– Ne cachez pas vos mains, mademoiselle Lorrimer. Elles sont très jolies. Ce sont des mains de jeune fille qui n'ont pas dû accomplir beaucoup de gros travaux. Vous n'avez vraiment aucune raison d'en avoir honte.

Samantha s'agita nerveusement, incapable de trouver une réponse. Mais une voix traînante, émergeant du canapé, lui épargna cette peine.

– Je vous ai dit que Mlle Lorrimer réserve plein de surprises : des mains douces, des jambes ravissantes... A mon avis, c'est une chrysalide et un jour, on verra le papillon. Vous pariez, Gary?.

Gary se tourna vers Carson.

– Ah! vous avez enfin décidé de rejoindre le monde des vivants. Et naturellement vos premiers mots s'adressent à une créature du sexe opposé! Je ne voudrais pas vous le répéter : Mlle Lorrimer n'est pas pour vous. Laissez tomber.

– D'accord, d'accord. Ne vous énervez pas, Gary, gardez vos œillères. A mon avis, vous le regretterez. Et maintenant, si la mystérieuse Mlle Lorrimer voulait apporter une tasse de café noir à l'odieux M. Carson, il lui en serait très reconnaissant.

Samantha sauta sur l'occasion pour quitter les lieux. Tout en remplissant une tasse du liquide fumant, elle s'efforçait de retrouver son calme. Elle redressa les épaules, se composa une expression de parfaite solennité et rentra dans le bureau. James lui adressa un sourire énigmatique en prenant la tasse qu'elle lui tendait en tremblant. Aussitôt, elle alla se poster près du bureau de Gary, regardant droit devant elle jusqu'à ce qu'il ait fini de signer des lettres.

– Voilà, mademoiselle Lorrimer. Vous allez pouvoir remettre ces lettres à Billy et rentrer chez vous. C'est fini pour aujourd'hui.

Samantha salua de la tête, trop heureuse d'échapper au regard de James Carson. Ce soir, elle avait un cours et elle se dépêcha de s'y rendre.

Après une journée si mouvementée, Samantha n'avait guère l'esprit à se concentrer sur la leçon de comptabilité et en rentrant chez elle, elle était littéralement épuisée. Janet était dans la cuisine.

– C'est toi, Sam? Viens voir.

Samantha la rejoignit. Janet lui jeta un coup d'œil.

– Seigneur, quelle mine tu as! Va vite te démaquiller. Tu aurais dû le faire après le bureau. C'est malsain, tu sais.

– Je n'ai pas eu le temps, j'étais en retard! Mais c'est vrai que ma peau commence à m'inquiéter.

Elle partit dans la salle de bains et réapparut en longue robe de coton et mules blanches. Les deux amies passèrent à table.

– Merci d'avoir préparé le dîner, Janet. Je suis si fatiguée que je n'aurais eu le courage de rien faire.

– C'est normal. Attends, j'ai des tas de choses à te raconter. Je viens d'obtenir une audition pour un petit rôle dans une nouvelle pièce qui va être créée à l'automne. Tu sais qui est la vedette? James Carson! C'est la première fois qu'on le verra sur scène à Broadway. Ça va être un événement. Je donnerai n'importe quoi pour avoir le rôle. C'est la chance de ma vie.

Les yeux dans le vague, Samantha murmura :

– C'est donc pour ça qu'il est à New York.

– Qui est à New York? Qu'est-ce que tu dis?

– James Carson. Il est passé à l'agence aujourd'hui. C'est Gary qui gère ses finances.

– Tu as vu James Carson dans ton bureau? Tu... tu lui as parlé? Samantha, réponds-moi, bon sang!

– Oui, oui, je lui ai parlé... enfin, si l'on peut dire.

Les yeux de Janet étincelaient.

– Sam, c'est vrai que tu connais James Carson? Oh! tu ne crois pas que tu pourrais lui glisser un petit mot pour moi? J'ai travaillé mon rôle toute la semaine, mais tu sais comment se passent les auditions. Il y a des dizaines de beautés plus brillantes les unes que les autres. Comment veux-tu te faire remarquer au milieu de tout ça? Si James Carson connaissait seulement mon nom, j'aurais un formidable avantage. Oh! Je suis sûre d'avoir le rôle. Il faut absolument que tu m'aides, Sam.

– Je voudrais bien, mais je ne vois pas comment. Je ne connais pas cet homme. Et pour lui, je ne suis que la secrétaire de Gary Talbott. Remarque, j'ai l'impression qu'il se doute de quelque chose. Il a regardé mon maquillage de près. Seulement moi, je n'ai pas envie qu'il découvre l'affaire.

Janet revint à la charge.

– Je pourrais venir te chercher à l'heure du déjeuner? Tu trouverais bien un moyen de nous présenter l'un à l'autre, ou de lui glisser un mot sur moi? Samantha, je *veux* ce rôle de toutes mes forces. Il faut que je l'aie.

Samantha réfléchit un long moment.

– Ecoute, Janet, je ne sais pas quoi te dire. Je ne pense pas que M. Carson doive passer au bureau demain, et si j'en parle directement à M. Talbott, il va me prendre pour une cinglée et m'envoyer sur les roses, ce qui ne t'aidera pas du tout. Mais je vais y penser. Je t'assure que si je trouve une solution, je t'aiderai, Janet. Tu peux compter sur moi. Tu m'as rendu un fier service et tu es ma meilleure amie.

3

Le lendemain matin, Samantha était encore au bureau à la première heure. En attendant le courrier, elle sortit son livre de cours et commença d'étudier la prochaine leçon. Profondément absorbée par sa lecture et s'efforçant de comprendre les difficultés techniques du chapitre, elle sursauta quand la porte s'ouvrit; contrairement à son attente – elle pensait à Billy ou à Mme Harrison –, elle découvrit Gary Talbott dont la voix sonore la salua.

– Bonjour, mademoiselle Lorrimer! Il est encore très tôt, il me semble! dit-il en s'approchant d'elle.

– Je préfère arriver de bonne heure pour avoir le temps de m'organiser. Mais vous aussi, monsieur, vous êtes matinal. Mme Harrison m'a dit que vous arriviez habituellement à 10 heures.

Gary feuilletait machinalement le livre de Samantha.

– En général, oui, répondit-il. Mais nos horaires sont imprévisibles, je vous l'ai dit. (Il referma le livre.) C'est vous qui vous intéressez à l'analyse des bilans? Cet ouvrage est très complexe. Vous comprenez tout?

– Non, malheureusement. Certains passages sont trop ardus pour moi. Je pense que tout ira mieux quand notre professeur nous expliquera les difficultés en classe.

Gary plissa les paupières.

– Voilà beaucoup de travail à la fois pour une secrétaire, non? Depuis combien de temps prenez-vous des cours? Quels sont vos projets, exactement?

Samantha ne répondit pas tout de suite. L'occasion lui était peut-être donnée de confier à Gary son ambition de réussir dans le monde financier. En s'exprimant avec soin et précision, elle pouvait exposer à son patron qu'elle ne comptait pas rester secrétaire toute sa vie, mais qu'elle envisageait autre chose. Grâce à son déguisement, on la prenait enfin au sérieux. C'était le moment d'en profiter.

– J'ai commencé à suivre des cours dès mon arrivée à New York, il y a deux ans. J'aimerais m'occuper d'analyse financière et de planning d'investissements. Mais j'ai encore beaucoup à apprendre...

– Mademoiselle Lorrimer, je vous avoue que vos talents m'impressionnent davantage chaque jour. Quand j'étais à l'Université j'ai étudié aussi l'analyse des bilans. Mon professeur à l'Ecole supérieure de commerce de Harvard était l'auteur de votre livre. Je connais très bien ses méthodes et si vous en avez besoin, je vous aiderai très volontiers.

En se dirigeant vers son bureau, il ajouta, mi-figue, mi-raisin :

– Mais je ne vous cache pas que l'idée de perdre une secrétaire comme vous ne me plaît guère. J'ai eu assez de mal à la trouver. Il faudrait plutôt envisager la possibilité d'une promotion. Vous pourriez devenir mon assistante, par exemple. Enfin, nous reparlerons ensemble de tout cela quand vous serez plus avancée dans vos études. En attendant, la journée va être chargée. Le cours de l'or est en train de baisser à la bourse de Londres et, si ça continue, tous mes clients vont vouloir en acheter. Appelez-moi notre correspondant à Londres. Il faut que je voie la situation avec lui.

Dès qu'elle eut son interlocuteur londonien en ligne, Samantha passa la communication à Gary. A peine raccroché, son téléphone sonna de nouveau. C'était Janet.

– Sam, as-tu réussi à voir James Carson?

– Janet, tu rêves. Il est à peine 8 heures et demie. James Carson doit dormir à poings fermés. En plus, je n'ai pas le droit de mêler les clients à mes affaires personnelles.

– Je sais, mais ce serait chic de ta part si tu pouvais lui parler, à lui ou à M. Talbott. Tu te rends compte de ce que ça représente pour moi? Bon, il faut que je file. Je voudrais arriver au théâtre de bonne heure pour estimer la valeur de l'ennemi.

– Bonne chance, Janet. Je vais essayer, mais n'espère pas trop.

Tout de suite après, la voix de Gary, empreinte de cette résonance profonde et autoritaire qui commençait à lui devenir familière, l'appela par l'interphone.

– Mademoiselle Lorrimer, venez dans mon bureau, s'il vous plaît. J'ai besoin de vous.

Au milieu d'un amoncellement de papiers, Talbott parlait au téléphone et inscrivait au fur et à mesure des chiffres sur un graphique. Couvrant le récepteur d'une main, il lui tendit une feuille.

– Appelez immédiatement les gens qui figurent sur cette liste. Donnez-leur le cours actuel de l'or et voyez s'ils sont d'accord pour que j'en achète les quantités que j'ai indiquées en face de leur nom. Faites vite.

Samantha disparut et Talbott reprit sa conversation téléphonique.

Ils ne quittèrent pas leur bureau de toute la journée.

A midi, ils expédièrent le déjeuner en avalant un sandwich que Samantha avait fait monter. Elle s'appliquait à satisfaire les exigences de Gary pendant qu'il multipliait les appels téléphoniques, vérifiant les cours, confirmant les achats. Vers 8 heures du soir, elle constata qu'elle avait manqué son cours. Mais la leçon pratique dont elle avait bénéficié lui en avait appris mille fois plus en matière de finances qu'une heure de classe.

Elle poussa un soupir et entreprit de ranger les piles de dossier qui encombraient son bureau. Cette journée qui s'annonçait si paisible à son arrivée s'était transformée en véritable marathon. Une fois les choses en ordre, elle frappa discrètement à la porte de Gary. Il était appuyé au dossier de sa chaise, les mains croisées derrière la tête, sans cravate, le col de chemise ouvert sur le fin duvet noir de sa poitrine musclée. Le sourire de contentement qui flottait sur ses lèvres faisait de lui un autre homme. Samantha ne reconnaissait pas la machine dynamique et impersonnelle avec laquelle elle avait travaillé toute la journée.

Il se redressa en laissant tomber ses bras.

– Eh bien, mademoiselle Lorrimer, nous n'avons pas perdu notre temps. L'agence *Talbott et Associés* a fait gagner beaucoup d'argent à ses clients. Il est vrai que je suis là pour ça. Votre collaboration m'a été très précieuse. Mais il est plus de 8 heures et vous n'avez pour ainsi dire pas déjeuné. Vous devez mourir de faim. Aviez-vous déjà un projet pour ce soir?

Samantha sourit.

– A dire vrai, monsieur, j'avais un cours à 6 h 30. Mais ce que je viens de faire aujourd'hui remplace sûrement un bon mois de cours sur les transactions financières. Il faudrait quand même que notre professeur accepte de revoir le chapitre sur l'analyse des bilans. Il n'y a qu'un expert comptable capable de s'y reconnaître dans cette forêt de chiffres.

– Vous plaisantez! s'écria Gary en riant. Je ne peux pas croire qu'il existe au monde quelque chose qui vous dépasse. Votre précision, votre initiative, que j'ai eu tout loisir d'apprécier aujourd'hui, me persuadent que rien n'est au-dessus de vos capacités. (Ses yeux gris pétillaient de gaieté.) Etant donné que je vous ai privée de déjeuner et de cours, je me sens obligé de me racheter. J'ai bien envie de vous inviter au restaurant, et j'en profiterai pour vous expliquer les difficultés sournoises des analyses de bilans.

Samantha rougit. Elle n'avait qu'une hâte : rentrer chez elle et se débarrasser de son maquillage qui commençait à lui irriter la peau.

– Je vous remercie, monsieur Talbott, mais il n'est pas nécessaire de m'inviter à dîner. J'ai fait mon travail, c'est tout. En plus, j'ai appris une foule de choses.

– J'insiste! Je veux vous emmener dîner. A moi maintenant de vous impressionner par l'étendue de mon savoir. Allez vous refaire une beauté pendant que je réserve une table. Pas de discussion. Quand vous me connaîtrez mieux, vous saurez que je finis toujours par avoir le dernier mot.

Samantha ne put s'empêcher de sourire mais elle manquait d'enthousiasme... Se refaire une beauté? Bien sûr, mais il aurait fallu enlever ce maquillage épais, jeter le sac informe et empesé qui lui servait de robe, et se détendre une heure dans un bain parfumé. Elle n'avait pas la moindre envie de paraître en public dans cet horrible attirail, qu'il allait falloir supporter encore aussi longtemps que durerait la soirée avec Gary Talbott. Ses lunettes d'écaille pesaient sur son nez, mais il n'était pas question non plus de les enlever en présence de son patron. Ce dîner était une épreuve et elle espérait réellement que Gary ne le prolongerait pas. D'ailleurs, il ne souhaitait certainement pas sa compagnie plus longtemps que nécessaire. Elle était convaincue qu'il ne l'invitait que par politesse. Résignée, elle rassembla ses affaires et alla se laver les mains. Gary l'attendait, assis sur le rebord de son bureau.

– Tout est réglé. J'ai réservé une table dans un merveilleux petit restaurant français près de Broadway. On y rencontre des tas de célébrités, surtout des acteurs.

Samantha le suivit au garage dans les sous-sols du building, où Gary rangeait sa Jaguar de sport marron. Il lui ouvrit la portière et contourna la voiture pour s'installer au volant.

– Une voiture comme celle-là à New York, c'est vraiment une stupidité, dit-il. Avec toute la circulation, on peut s'estimer heureux d'atteindre le dix à l'heure. Mais le sport automobile, c'est mon péché mignon. J'adore conduire les bolides.

Ils traversèrent lentement le quartier financier, à présent désert.

– C'est amusant, reprit-il. Le soir, le quartier est complètement mort. Tout l'argent qu'on y gagne dans la journée, on va le dépenser à Broadway la nuit même.

Ils arrivaient dans le secteur des théâtres. Les néons flamboyaient de partout. Gary arrêta sa voiture le long d'un trottoir, devant une marquise de toile bleue. Un portier se précipita pour ouvrir la portière de Samantha et se chargea des clés que Gary lui tendait. A entendre Talbott salué par son nom, Samantha en conclut qu'il avait à coup sûr ses habitudes dans l'établissement.

A la porte, Gary posa la main sur l'épaule de Samantha, pour la laisser passer, et elle ne put réprimer un frisson. Gary retira immédiatement sa main.

– Excusez-moi, mademoiselle Lorrimer. Notre travail en commun me rend familier.

Samantha sourit d'un air gêné. Son déguisement l'étouffait de plus en plus. Le maître d'hôtel qui s'était approché pour les accueillir la regarda avec une certaine curiosité, puis sourit chaleureusement à Gary.

– Quel plaisir de vous recevoir, monsieur Talbott. Votre table est prête.

– Merci, Henri... Je vous présente Mlle Lorrimer, ma secrétaire.

Samantha salua poliment. Le regard d'Henri s'éclaira.

– Je comprends, dit-il. J'étais surpris de ne pas voir Mlle Gérard.

– Mlle Gérard se repose dans une station thermale en Californie, répondit Gary en souriant. Me voilà abandonné pour quelques semaines. Vous savez que je déteste dîner seul en célibataire. C'est pourquoi je suis heureux que Mlle Lorrimer accepte ma compagnie ce soir.

Les précédant sur la luxueuse moquette rouge, Henri les conduisit vers une petite table située un peu à l'écart, au fond de la salle. Il écarta une chaise pour Samantha et présenta la carte à Gary.

– Pas tout de suite, Henri. Nous avons besoin de nous détendre. Apportez-nous donc deux verres de chablis. Ensuite, si Mlle Lorrimer veut bien me faire confiance, je composerai le menu pour nous deux.

Samantha acquiesça avec reconnaissance. Moins on lui en demanderait, mieux cela vaudrait. Son visage la démangeait, la pression de ses lunettes sur son nez devenait intolérable. Elle n'avait qu'une envie, c'était d'être débarrassée le plus vite possible de ce dîner. Malheureusement, Gary ne tenait visiblement pas à bâcler les choses. Il avait sans doute décidé d'accomplir un acte de charité en offrant à sa bonne secrétaire un moment privilégié de luxe et d'élégance.

Samantha prit le verre de vin frais entre ses doigts, étonnée que Gary ait pu deviner sa préférence pour le chablis sec. Les yeux fermés, elle était en train d'imaginer le bain de mousse bien chaud où elle allait plonger sitôt rentrée chez elle, quand une voix trop connue la fit sursauter.

– Gary Talbott ici! Quelle coïncidence! Avec ma secrétaire favorite, en plus. Il paraît que grâce à vous, j'ai fait un malheur sur le marché de l'or, aujourd'hui. Vous êtes en train de fêter ça?

– Non, non, James. Mlle Lorrimer et moi avons travaillé très dur, aujourd'hui. Nous n'avons même pas eu le temps de déjeuner convenablement. Par-dessus le marché, Mlle Lorrimer a manqué son cours du soir. Nous avions tous les deux besoin de nous détendre, et j'ai décidé de l'inviter ici. Voilà. Permettez-nous de finir notre vin et de commander notre dîner.

– Pas question! Puisque vous avez si bien travaillé à m'enrichir, le moins que je puisse faire, c'est de vous inviter moi-même à dîner. L'amie qui m'accompagne est allée se poudrer le nez, elle va nous rejoindre tout de suite.

Il fit signe à Henri d'apporter deux couverts de plus et s'assit à côté de Samantha.

Alors que celle-ci n'avait plus la force d'imaginer une nouvelle catastrophe, les deux hommes se levaient pour accueillir la compagne de James Carson. En la voyant, Samantha sentit le cœur lui manquer.

– Gary, je te présente Janet Rogers, ma dernière

découverte, annonça James. (Il adressa à Samantha un sourire moqueur.) Mais je crois que Mlle Lorrimer connaît déjà Mlle Rogers.

Samantha et Janet se regardèrent, dans un état d'ébahissement égal. Mais Janet était comédienne dans l'âme, et son visage retrouva sans transition une expression impassible. D'un léger signe de tête, elle rassura Samantha. Gary dévisageait la nouvelle venue avec un étonnement non dissimulé. Vêtu d'un simple fourreau long de soie blanche à fines épaulettes, ses longs cheveux d'ébène cascandant sur ses épaules, Janet était la beauté faite femme. Perplexe, Gary observait alternativement cette ravissante apparition et l'austère sévérité de sa secrétaire. Samantha fut incapable de soutenir son regard.

Janet se glissa sur sa chaise avec un sourire charmeur. D'une voix admirablement modulée, elle expliqua :

– Imaginez ma surprise, ce matin, quand j'ai découvert en bavardant avec James Carson que nous avions une relation commune. Samantha et moi partageons le même appartement.

Gary était l'image de la stupéfaction.

– Vous... vous voulez dire...?

James Carson se renversa en arrière avec un sourire ravi.

– Exactement! s'écria-t-il. On peut dire que c'est inattendu et j'avoue que j'ai été épaté aussi. Mais pas autant que vous, Gary. Ma parole, c'est bien la première fois que l'imperturbable Gary Talbott ne trouve plus ses mots!

Visiblement, cette remarque irrita le financier.

– Enfin, c'est une coïncidence tout à fait extraordinaire, non? répliqua-t-il sèchement. Je suis surpris, voilà tout.

James Carson prit l'air entendu d'un homme qui connaît un secret et préfère le garder pour lui.

– Vous savez, il n'y a rien d'extraordinaire à ce que deux charmantes jeunes femmes célibataires partagent le même appartement.

– Peut-être. Je suis moins habitué que vous aux coups de théâtre, évidemment, répondit Gary qui s'était ressaisi. En tout cas, je suis ravi d'apprendre que Mlle Rogers connaît si bien ma secrétaire. Maintenant, si vous le permettez, j'aimerais commander notre dîner. J'ai promis à Mlle Lorrimer une soirée de détente et on ne peut pas dire que ce soit exactement le cas.

De la main il fit signe au maître d'hôtel et reprit :

– Mlle Lorrimer me fait confiance. Voulez-vous me laisser choisir aussi pour vous et pour Mlle Rogers?

James interrogea Janet du regard. Elle approuva avec un sourire étincelant.

– Très volontiers, monsieur Talbott. Mais faites-moi plaisir, appelez-moi Janet comme tous mes amis.

Le menu composé par Gary commençait par une soupe à l'oignon avec des croûtons saupoudrés de parmesan; suivait un carnard à l'orange accompagné de petits légumes cuits à la vapeur et arrosés de beurre fondu. Samantha se rendit compte dès la première bouchée qu'elle mourait de faim et elle se mit à manger avec enthousiasme sous l'œil amusé de Gary. Au dessert, elle se décida pour un énorme gâteau au chocolat couronné de crème fouettée, qu'elle savoura en même temps qu'une tasse de café noir.

Gary la regarda déguster la dernière bouchée.

– Mademoiselle Lorrimer, je crois que j'ai bien fait de vous inviter. J'ai horreur de voir un bon dîner gâché par une mijaurée qui chipote et laisse les trois quarts des plats dans son assiette.

James Carson approuva hautement.

– Entièrement d'accord avec vous, Gary. Samantha est une perle que vous n'avez pas intérêt à laisser partir. Mais ce soir c'est moi qui vous invite.

Gary hocha la tête.

– Merci, James. C'est très aimable à vous. Bon. Une dure journée nous attend demain, Mlle Lorrimer et moi. Je propose que nous laissions les deux charmants noctambules que vous êtes profiter encore de la soirée. Les acteurs peuvent dormir jusqu'à midi, mais la bourse ouvre à 10 heures. Il s'agit d'avoir l'esprit clair.

Il aida Samantha à se lever, et adressa à Janet un sourire irrésistible.

– Je suis ravi de vous avoir connue, Janet. J'espère que nous nous reverrons.

Samantha réussit à balbutier une politesse et Gary la guida vers la porte, une main effleurant sa taille. Dehors, la voiture attendait, surveillée par le portier qui les salua et les regarda partir. Ils roulèrent un moment puis Gary demanda :

– Je vous raccompagne directement chez vous, ou préférez-vous faire un tour?

Samantha se mordit nerveusement la lèvre. Si elle n'avait pas un bon bain chaud dans la minute qui suivait, elle s'écroulait. Sa volonté ne tenait plus qu'à un fil. Le moindre signe d'encouragement de la part de Gary Talbott et elle racontait toute sa mascarade, tout en le sachant incapable d'indulgence. Sûrement que le magicien de Wall Street n'apprécierait pas d'avoir été dupé si grossièrement. Elle répondit sans oser le regarder en face :

– Je suis réellement fatiguée. Il me tarde de

rentrer chez moi et de m'offrir un bon bain chaud.

– Vos désirs sont des ordres, ne prenez pas un air si consterné. Mais il ne faudra pas oublier que je vous dois toujours une leçon sur les bilans. Ce n'est que partie remise, nous en aurons sûrement l'occasion. Maintenant, dites-moi où je dois aller, mon carrosse magique va vous transporter chez vous le temps d'un éclair.

Samantha le guida à travers la circulation jusqu'à son immeuble, devant lequel il s'arrêta en double file. Elle le remercia une dernière fois et s'apprêtait à quitter la voiture, mais il était déjà descendu lui ouvrir la portière et l'accompagnait à l'immeuble.

– Je vous remercie, mais je peux rentrer seule. J'ai l'habitude de revenir tard après mes cours du soir. D'ailleurs, vous allez attraper une contravention.

– Peu importent les contraventions. Je ne veux pas qu'il vous arrive quelque chose. Ces grands couloirs, à New York, sont loin d'être sûrs. Je préfère vous savoir chez vous.

Devant la porte de l'appartement, il lui prit la main et la pressa légèrement. Puis, la retournant, il suivit doucement du bout de l'index les lignes de sa paume en les examinant. Samantha sentit son cœur battre plus vite. Elle reprit vivement sa main.

Gary la dévisagea d'un air pensif.

– Reposez-vous, demain matin, dit-il. Vous avez assez travaillé aujourd'hui pour mériter un supplément de sommeil.

Il lui fit un signe de la main, tourna les talons et disparut dans l'escalier.

Samantha verrouilla la porte derrière lui. Son premier geste fut d'enlever ses lunettes puis elle se débarrassa des oripeaux de son déguisement. Une fois démaquillée, elle examina son visage dans le miroir de la salle de bains et soupira. Elle avait le teint brouillé, des rougeurs partout. Sa peau délicate supportait de moins en moins l'asphyxie du maquillage de théâtre.

Quand le bain fut coulé, elle y jeta une poignée de sels parfumés et s'y laissa glisser avec délices.

Des effluves délicats montaient de l'eau tiède et, les yeux clos, elle se remémorait les événements de la journée. L'image de Gary Talbott ne la quittait pas. Il avait pris sa main... l'avait gardée. Rien qu'à y penser, elle se sentit rougir toute seule. Gary Talbott était pour elle l'employeur rêvé et peut-être aussi, songea-t-elle non sans regret, l'homme rêvé, tout simplement. D'une main, elle dégageait doucement ses épaules, ses bras, et son imagination substituait à la caresse de l'eau tiède celle des doigts de Gary glissant le long de sa peau, descendant le long de son corps...

Elle se secoua vivement. Quelle idée lui passait par la tête? Voilà qu'elle devenait folle. Elle avait enfin rencontré le patron qu'elle espérait, qui la traitait avec respect, et elle s'emflammait comme une écolière. Elle en aurait ri, si ce n'était si dangereux. De toute façon, Gary Talbott n'aurait jamais la moindre attirance pour elle. Alors assez d'élucubrations. Il s'agissait de revenir à la réalité.

Elle sortit du bain qui commençait à refroidir et se dirigea vers le salon, vêtue seulement d'un peignoir de bain. Trop fatiguée pour réviser son cours et trop tendue pour s'endormir immédiatement, elle décida de s'allonger sur le canapé et de regarder la télévision. Mais elle somnolait déjà quand la clé de Janet tourna dans la serrure. Sur la pointe des pieds, la comédienne entra dans le salon. Seulement elle n'était pas seule – James Carson l'accompagnait. Il vit Samantha étendue sur le canapé et émit un interminable sifflement.

– Oh! C'est Cendrillon en personne!

Samantha s'assit brusquement en ramenant ses jambes sous elle. James ne semblait pas remarquer son extrême confusion. Avec indifférence, il s'effondra dans un fauteuil proche et s'étira de tout son long. Janet se percha sur un accoudoir et il lui passa un bras autour de la taille.

Janet regarda Samantha d'un air penaud.

– Sam, ne te fâche pas. J'ai tout raconté à James, parce que de toute manière il soupçonnait déjà ton déguisement. Je n'ai fait que confirmer ce qu'il avait deviné et je lui ai expliqué pourquoi tu avais pris cette décision.

Samantha semblait dans l'incapacité de comprendre les paroles de son amie. Janet insista :

– Sam, je t'assure que tu n'as rien à craindre. James m'a promis de garder notre secret. J'ai confiance en lui, sinon je n'aurais rien dit. Tu sais bien que je ne veux pas me fâcher avec toi.

James, soudain sérieux, confirma les explications de Janct.

– Elle a raison, Samantha. Ne vous fiez pas aux apparences. Même mon attitude avec Gary Talbott ne doit pas vous tromper. Vous savez, je ne suis qu'un garçon de province qui a su saisir sa chance au cinéma. Mais je n'oublie pas mes origines, et mon plus grand plaisir est de retourner chez moi, dans les monts Ozark. Tout seul dans un chalet au bord d'un lac, je passe mon temps à la chasse et à la pêche. Mais je sais aussi jouer la comédie, et même assez bien. L'autre jour, chez Talbott, je n'étais pas aussi éméché que vous avez pu le croire. J'adore faire marcher ce brave Gary. C'est un type formidable, mais il est tellement collet monté! Vous n'imaginez pas justement combien votre petite farce me ravit. Ça le dégèlera un peu quand il découvrira le pot aux roses. Il sera le premier à en rire, c'est sûr.

Samantha poussa un cri.

– Oh non! Il ne faut surtout pas qu'il sache la vérité! Il ne me pardonnerait jamais de l'avoir trompé. Je vous en prie, promettez-moi de ne rien dire!

Sa voix tremblait, entre la colère et les larmes.

James la rassura avec douceur.

– Calmez-vous, Samantha. Je n'ai aucune envie de vous contrarier le moins du monde.

Janet lui sourit et il resserra son étreinte autour de la taille de celle-ci.

– Et j'ai encore moins envie de contrarier Janet. Je ne dirai pas un mot à Gary, puisque vous le demandez. Mais vous n'allez pas pouvoir conserver longtemps ce maquillage. Il abîme votre peau.

Samantha sentit les larmes lui venir aux yeux.

– Je ne sais plus quoi faire. D'un côté, j'adore mon travail et Gary est merveilleux. Il me considère comme une personne intelligente et non comme une poupée sans cervelle. Mais d'un autre côté, je ne peux pas continuer éternellement ce petit jeu. Quand je pense qu'il faudra dire un jour la vérité, j'en suis malade.

Janct soupira.

– Je crois que tu noircis la situation, Samantha. James est convaincu que Gary ne peut pas te mettre à la porte. Il a trop d'estime pour toi. Et en plus, tu n'as pas agi sans raison. Ce n'est pas un caprice gratuit. Gary est capable de comprendre la situation, c'est certain.

Samantha secoua tristement la tête.

– Il a un tel souci d'honnêteté que les meilleures raisons n'auront aucune valeur. Je me suis embarquée dans une impasse.

– En tout cas, il faut que tu arrêtes de te maquiller comme ça. Ta peau est dans un tel état que tu ne vas plus avoir besoin de l'abîmer artificiellement. Dès demain tu devrais supprimer le fond de teint. Mets-en juste un peu sur la petite bosse de ton nez, c'est tout. Tes lunettes suffisent bien à t'enlaidir.

James se leva en s'appuyant sur l'épaule de Janet.

– Votre amie a raison, Samantha. Que redoutez-vous le plus? De perdre votre emploi, non? Si une telle catastrophe devait arriver, je vous garantis que je me servirais de mes relations. Vous en trouveriez un autre tout de suite.

Il embrassa Janet amicalement et s'apprêta à partir.

– Allez, dormez bien, jeunes filles. Nous déjeunons demain ensemble, Janet. Vous n'avez pas oublié?

Samantha se réveilla de bonne heure et, à 8 heures, elle était dans le bureau de Gary, occupée à ranger les monceaux de papiers qui l'encombraient. Elle voulait que Gary trouve tout en ordre à son arrivée, et se dépêchait si bien qu'elle n'entendit pas Mme Harrison approcher.

Celle-ci lui remit des documents sur des affaires en cours et au moment de quitter le bureau, elle s'adressa à la secrétaire avec un peu d'hésitation :

– Je vais vous paraître indiscrète, mademoiselle Lorrimer, mais il me semble que vous n'êtes pas maquillée aujourd'hui. Ça fait une telle différence que je n'ai pas pu m'empêcher de le remarquer.

Le cœur de Samantha s'arrêta de battre. Et voilà! La catastrophe arrivait. Mais l'expression de Mme Harrison était pleine d'aimable attention.

– Vous avez vraiment des problèmes de peau. Je comprends que vous vouliez la cacher en utilisant beaucoup de fond de teint. Mais vous savez, c'est tout à fait inutile dans votre position. M. Talbott ne vous a pas engagée pour votre beauté. Je vous ai prévenue, il ne confond pas travail et plaisir. Le charme de ses collaboratrices lui est tout à fait indifférent. Il ne faut pas que le souci de votre apparence vous préoccupe. Excusez-moi de vous parler si franchement, ce ne sont pas des sujets que j'aborde généralement au bureau; mais je voudrais que vous sachiez combien votre travail est apprécié. Le reste n'a aucune importance.

Elle sortit du bureau avant que Samantha ait trouvé un commencement de réponse.

C'est dans cet état que Gary Talbott la surprit en arrivant. Il était rasé de près et discrètement parfumé d'une eau de Cologne épicée. Ce matin, il portait un complet de mohair bleu marine.

– Bonjour, mademoiselle Lorrimer!

Ses yeux s'arrêtèrent un instant sur le visage de Samantha, et elle devina qu'il avait noté l'absence de maquillage. Mais trop poli pour se permettre une réflexion, il se mit au travail sans rien dire.

La journée passa sur le même rythme effréné que la veille. Samantha avait perdu la notion de l'heure et c'est Gary qui vint l'interrompre.

– Mademoiselle Lorrimer, il est 5 heures. Est-ce que vous avez un cours, ce soir?

– Non, je peux rester aussi tard qu'il le faudra.

– C'est fini pour aujourd'hui. Nous avons bien avancé. A mon avis, c'est le moment de tenir ma promesse. Vous vous rappelez que je vous dois une leçon sur les bilans. Je vous invite à dîner. On aura tout notre temps. Qu'en dites-vous?

Pourquoi pas? songea Samantha. Aujourd'hui ou demain...

Puisque la fiancée de Gary était en Californie et qu'il détestait dîner seul, il voulait sans doute en profiter pour se débarrasser de l'obligation qu'il s'était faite avant le retour de sa fiancée. Elle accepta d'un simple hochement de tête.

Le visage de Gary s'éclaira.

– Parfait. Je vais prendre mes dispositions pour le dîner et nous partons aussitôt.

4

– Voilà, annonça Gary en rejoignant Samantha. On peut y aller. N'oubliez pas votre livre de cours.

Samantha s'assura que le livre était bien dans son sac de cuir bourré à craquer et ils sortirent ensemble.

Elle resta silencieuse tandis qu'ils s'éloignaient de Manhattan et de Wall Street. Elle se demandait quel restaurant il avait choisi ce soir. Sûrement encore un établissement somptueux, fabuleusement cher. L'idée d'apparaître une fois de plus au milieu de tout ce luxe dans ses vêtements sinistres la déprimait complètement. Mais elle ne pouvait pas attendre de Gary qu'il change ses habitudes pour elle.

A Central Park, Talbott engagea la voiture dans le parking qui occupait le sous-sol d'un des plus anciens immeubles de New York. Samantha savait que beaucoup de célébrités habitaient là et qu'on ne pouvait y obtenir un appartement qu'après approbation des autres locataires.

L'immense richesse des propriétaires avait permis de conserver au bâtiment exactement son aspect primitif. La décoration de chaque appartement était refaite au fur et à mesure des changements de locataires, selon les désirs du nouvel occupant. La façade de l'immeuble et ses parties communes étaient impeccablement entretenues. Samantha ne comprenait pas ce qu'ils faisaient là. Un restaurant dans cet immeuble, c'était bizarre.

La voiture était maintenant rangée sur un emplacement numéroté et Gary lui ouvrait la portière.

– Je me suis permis de faire préparer un dîner par ma cuisinière. J'ai pensé que ce serait plus décontracté et nous aurons toute liberté pour étudier cette histoire de bilans. Aucun restaurant n'offre assez de tranquillité pour ce genre d'exercice. Sans parler des éclairages tamisés...

Il dirigea Samantha vers l'ascenseur et le liftier appuya sur le bouton marqué « Terrasse ».

Ils sortirent dans un élégant corridor privé. Les murs étaient tapissés de soie vieil-or et le sol carrelé de plaques de marbre noir et blanc. Quelques petits meubles anciens ivoire et or meublaient cette entrée. Gary effleura la taille de Samantha pour la guider vers une porte au fond, qui s'ouvrait sur un salon décoré d'une gigantesque cheminée en noyer sculpté. Une profusion de plantes vertes proliféraient dans la chaleur et l'humidité de l'été new-yorkais.

– Je vais avertir mon maître d'hôtel de notre arrivée. Mettez-vous à l'aise; je reviens dans une minute.

Samantha s'approcha de la grande baie vitrée qui occupait tout un mur du salon. Elle était fermée mais ses vitres offraient le spectacle des arbres et des fleurs qui envahissaient la terrasse. Samantha n'en revenait pas. Elle n'aurait jamais pu croire qu'un si beau jardin puisse exister dans la poussière et la suie de New York. Gary la retrouva en pleine contemplation émerveillée.

Il vint se placer silencieusement derrière elle.

– Pas mal, n'est-ce pas? J'aime bien m'installer sur cette terrasse, au printemps. Après dîner, s'il fait assez frais, nous pourrons y prendre le café. La vue sur le parc et les musées, de l'autre côté de la rue, est magnifique. Bon. Voulez-vous vous rafraîchir un peu? La salle de bains est par là. Vous trouverez facilement.

Il indiquait un couloir au fond de la pièce.

A l'abri dans la salle de bains, Samantha examina son image dans le miroir. Les vilaines taches rouges de son visage n'avaient pas disparu mais sa peau semblait moins irritée au toucher. Elle rattrapa quelques mèches qui s'étaient échappées de son chignon et replaça les épingles. Un instant, elle envisagea d'ôter la veste de son ensemble de toile bleue; mais elle y renonça. Le mince tissu de son sévère chemisier ne suffisait pas à dissimuler les courbes trop sensuelles de son buste.

Une fois rassurée sur son aspect de secrétaire sérieuse et efficace, elle rejoignit Gary qui manipulait verres et bouteilles derrière un bar qu'il avait fait apparaître en faisant coulisser un panneau.

– Que diriez-vous d'un Martini? demanda-t-il en levant les yeux sur elle.

Samantha secoua la tête

– Non, rien du tout. J'ai besoin de garder les idées claires si je veux comprendre la leçon sur les bilans. C'est déjà incompréhensible sans Martini!

Gary éclata de rire.

– Vous allez voir, vous serez imbattable avant la fin de la soirée. Je vous le promets. Préférez-vous un verre de sherry? Ça ne vous empêchera pas de garder l'esprit alerte.

Samantha accepta.

– Parfait, merci.

Gary s'assit en face d'elle.

– Le dîner va être prêt dans un instant. Si vous me parliez un peu de vous, en attendant? On travaille dans la collaboration la plus étroite et je ne sais rien de votre vie passée.

Instinctivement Samantha choisit de dire la vérité.

– Il n'y a pas grand-chose à raconter, dit-elle. Mon père dirige une petite entreprise laitière dans l'Etat de New York. Depuis toujours, c'est moi qui ai vérifié ses livres et préparé le travail de son comptable. Tout naturellement je me suis intéressée aux finances. Mais je n'avais pas de débouchés dans la petite ville où je vivais. Alors, j'ai décidé de tenter ma chance à Wall Street.

Gary fronça les sourcils.

– Mais Mme Harrison m'a dit que vous vous occupiez jusqu'à présent d'une parente malade.

Le regard qu'il porta sur Samantha était direct et elle sentit comme une menace dans ses yeux gris. Puis, comme répondant à une soudaine décision intérieure, il haussa les épaules et but une gorgée de son apéritif.

– De toute façon, peu importe; ce qui compte, c'est que vous remplissiez vos fonctions à merveille. J'ai de la chance de vous avoir trouvée.

Dans son sourire chaleureux et amical, toute trace de menace avait disparu.

Terrance, le maître d'hôtel, vint annoncer que le dîner était servi. Samantha eut la sensation d'avoir gagné un sursis.

Gary lui indiqua la salle à manger et l'installa devant une petite table ronde, près d'une fenêtre donnant sur la terrasse. La pièce, très vaste, était meublée de plusieurs tables identiques.

Devant sa surprise, Gary expliqua :

– Quand j'ai fait décorer l'appartement, j'étais embarrassé par la salle à manger. Je ne voulais pas une de ces tables interminables qui vous obligent à hurler si vous voulez vous faire entendre à l'autre bout. Elles sont tellement larges qu'on distingue à peine les invités! Pour les dîners en tête à tête, comme ce soir, c'est très déconseillé. Le décorateur m'a suggéré l'idée des petites tables et j'ai été emballé. Est-e que ça vous plaît?

– C'est ravissant, reconnut Samantha en continuant de détailler la pièce.

Une cheminée en marbre de Carrare occupait le milieu d'un mur lambrissé de bois de rose. Quelques bougeoirs de bronze anciens, transformés en lampes, diffusaient une lumière discrète. Sur la nappe de soie rayée, on avait posé deux carrés de batiste blanche et deux serviettes impeccablement pliées. La flamme des chandeliers d'argent projetait des ombres dansantes sur le visage hâlé de Gary. L'harmonie de ses traits aquilins troublait la secrétaire. Elle frissonna légèrement.

Gary s'étonna :

– Vous n'avez pas froid, tout de même. L'air conditionné est peut-être trop frais?

Pour rien au monde Samantha n'aurait voulu qu'il devine l'étrange effet que sa présence produisait sur ses sens. Elle secoua la tête.

– Non, ce n'est rien. Tout va bien.

Le maître d'hôtel avait apporté l'entrée, une délicieuse bisque de homard glacée que Samantha savoura jusqu'à la dernière goutte.

Ils dégustèrent ensuite des escalopes de veau au citron, accompagnées de riesling. Samantha se contenta d'un seul verre, répétant qu'elle tenait à garder toute sa tête.

Gary lui proposa de prendre le café dans le salon en commençant à travailler. Il faisait encore trop chaud à l'extérieur pour profiter de la terrasse.

Le maître d'hôtel apporta le café et des pâtisseries sur un grand plateau d'argent. Gary le remercia et lui permit de regagner son appartement à l'étage au-dessous.

Puis il se tourna vers Samantha.

– Et maintenant, voyons ce problème de bilans. Il déplaça le plateau de café posé sur la table et elle posa son livre ouvert. Il s'installa si près d'elle qu'elle sentait les effluves de son eau de Cologne. Sur la défensive, elle s'écarta légèrement, le cœur battant à coups précipités.

Gary ne parut pas remarquer son embarras. Il parcourut le texte à voix haute en ajoutant des explications détaillées au passage de certains paragraphes qu'elle avait cochés d'un point d'interrogation. Samantha multipliait les efforts pour suivre son exposé, mais la présence de Gary l'empêchait de se concentrer. Elle se pencha sur le livre. Gary, tout près d'elle, continuait son discours en soulignant les passages importants de son doigt long et bronzé. Elle sentit la chaleur de son corps, sa tête se mit à tourner... Brusquement, ce fut le noir. Samantha poussa un cri.

Gary lui entoura les épaules.

– Ce n'est rien. Sans doute un plomb qui a sauté. Je vais aller voir.

Samantha se renversa contre le dossier du canapé en poussant un soupir de soulagement. La réaction imprévisible de son corps, au contact de celui de Gary, la plongeait dans le désarroi. Elle avait passé sa vie à éviter les avances masculines et c'était maintenant, alors qu'elle venait enfin de rencontrer quelqu'un qui l'estimait pour son intelligence, qu'elle laissait ses propres sens la trahir. Gary la jugeait probablement sans attrait. De plus, il était fiancé à Denise Gérard. Le premier homme pour lequel elle ressentait une attirance totale, physique et intellectuelle, il fallait que ce soit cet individu intouchable. Une vieille maxime que sa mère avait coutume de répéter lui revint à l'esprit. Il était question de gens qui veulent toujours ce qu'ils ne peuvent pas obtenir.

Un bruit de pas dans le noir fut suivi de la voix exaspérée de Gary.

– Ce ne sont pas les plombs. Bon sang! J'ai l'impression qu'on a droit à une nouvelle panne d'électricité. New York est célèbre pour ça. Comment le vieux système électrique de cette cité peut-il supporter la multiplication des installations modernes? Un coup de chaleur, tout le monde branche l'air conditionné en même temps, et c'est la panne.

L'atmosphère de l'appartement devenait étouffante. Samantha fut obligée d'enlever sa veste et d'ouvrir le col de son chemisier. En tâtonnant dans l'obscurité, elle referma son livre et le rangea dans son sac.

– Il vaut mieux que je parte. La leçon est finie pour ce soir, je crois. Décidément, le destin est contre moi. Je n'apprendrai jamais l'analyse de bilans.

La voix de Gary s'éleva dans l'obscurité.

– J'ai bien peur au contraire que vous ne soyez forcée de rester ici, du moins pour le moment. Nous sommes au vingtième étage et les ascenseurs sont bloqués. Mettons-nous à l'aise, et patientons, c'est ce qu'on a de mieux à faire.

Il enleva sa veste et desserra sa cravate, puis il entraîna Samantha en la prenant par la main.

– Venez. Nous allons finir par bouillir ici. Je vous avais promis un tour sur la terrasse, c'est le moment ou jamais. Nous y trouverons peut-être un souffle d'air.

Il ouvrit la baie vitrée et ils reçurent un souffle chaud et humide qui les enveloppa d'une atmosphère torride. On se serait cru dans une serre.

Samantha lâcha la main de Gary et se pencha au-dessus du balcon sur la rue déserte. C'était le noir complet, percé de temps en temps par les phares de quelques véhicules qui roulaient lentement. La circulation devenait dangereuse en l'absence de tout feu de signalisation. Gary s'approcha de Samantha. Elle tressaillit en devinant sa présence juste derrière elle, mais ne détourna pas la tête.

– Ça fait drôle, vous ne trouvez pas? Je me sens seule et perdue, dans tout ce noir.

Gary lui passa un bras autour des épaules, d'un geste presque paternel.

– Vous n'êtes pas seule; je suis là, moi, et il y a bien longtemps que je n'ai plus peur du noir. Venez vous asseoir et bavardons un peu. Nous n'avons pas fini de faire connaissance.

Ils s'installèrent sur des fauteuils de jardin. « Faire connaissance », avait-il dit. C'était exactement ce que Samantha ne voulait pas. Elle appréhendait les questions directes sur sa vie privée, même si elle mourait d'envie d'avouer la vérité. Son déguisement lui pesait de plus en plus, mais elle n'osait pas courir le risque d'avouer sa supercherie, surtout maintenant que leurs rapports prenaient une tournure si amicale et si paisible. Gary faisait passer l'honnêteté avant tout. Aucune raison n'aurait grâce à ses yeux. Son indifférence lui était déjà assez pénible à admettre : comment pourrait-elle supporter sa haine?

Il se tourna vers elle et lui sourit.

– A quoi pensez-vous?

Elle essaya de maîtriser son émotion.

– Pas à grand-chose d'intéressant. Je me disais seulement qu'il suffit d'une panne pour rendre tout inquiétant. Heureusement que vous êtes là; je n'aime pas être seule dans le noir.

Il rit doucement.

– Est-ce que je dois prendre ça pour un compliment? Pourvu que vous continuiez à apprécier ma compagnie en pleine lumière! Sinon, je serai forcé de travailler dans le noir, désormais, si je veux garder votre amitié.

Il se leva et Samantha devina qu'il déboutonnait sa chemise.

– Je vous demande pardon, reprit-il, mais je vais l'enlever. C'est horriblement mal élevé, mais cette chaleur me tue.

Samantha le regarda faire, fascinée. Les muscles déliés de sa large poitrine se dessinaient sous le clair de lune. Elle ferma les yeux pour échapper à cette vision, envahie par une vague confuse de désirs.

– Je vais essayer de me reposer, murmura-t-elle en ôtant ses lunettes. Cette panne n'en finit pas.

Les nerfs tendus comme des ressorts, elle s'allongea dans son fauteuil. Tout son être aspirait à la décontraction et à la bienheureuse sécurité du sommeil. Elle sentait que Gary l'observait, elle percevait l'intensité de son regard à travers ses paupières closes. Mais elle ne voulait pas ouvrir les yeux, craignant trop les effets de son émotion.

Un soupir suivi d'un léger bruissement lui apprirent que Gary s'était écarté d'elle. Bientôt, à sa respiration régulière, elle devina qu'il s'était endormi. Le rythme paisible de cette respiration dans le noir finit par la détendre, et elle se laissa emporter à son tour par un demi-sommeil traversé d'images mouvantes où les traits de Gary occupaient la plus grande place.

Brusquement, la réalité se superposa au rêve. Gary, en pleine lumière, se dressait devant elle, les yeux étincelant de colère.

– Voudriez-vous m'expliquer ce que c'est que ça ?

Il venait de ramasser quelque chose sur le fauteuil. Paralysée de panique, Samantha regardait entre ses doigts la petite bosse artificielle de son nez.

Talbott se pencha vers elle et lui passa rudement la paume sur la joue.

– Votre peau est extraordinairement fraîche, aujourd'hui.

La colère faisait trembler sa voix. Il glissa sa main derrière la nuque de Samantha et la força à s'asseoir. Une à une, il arracha les épingles de son chignon, libérant une cascade de magnifiques cheveux dorés. Elle sentait son souffle nerveux lui caresser la joue.

– Voyez-vous ça ! Mademoiselle Lorrimer, je vous trouve tout à coup bien séduisante. A part cet accoutrement qui ne vous arrange pas, je dirais même que vous êtes une ravissante jeune femme. Mais c'est le jeu sans doute ? Je suppose qu'il y a d'autres charmes cachés là-dessous.

Sa main agrippa le chemisier et commença de le déboutonner. Samantha poussa un cri.

– Non ! Vous n'avez pas le droit.

Elle croisa les pans du chemisier contre sa poitrine et bondit sur ses pieds pour s'écarter de Gary comme un animal effrayé. Il ricana sans la quitter des yeux :

– J'attends votre explication. Tâchez qu'elle soit bonne !

Samantha rentra à reculons dans l'appartement. Ses yeux lançaient des éclairs.

– Je n'ai rien à vous dire. De toute façon, vous ne me croiriez pas. Au revoir. Vous pourrez m'envoyer mon salaire par la poste. Je vous souhaite d'avoir plus de chance avec votre prochaine secrétaire.

Peut-être finirez-vous par trouver le modèle de vertu digne de votre précieuse Mme Harrison.

Elle saisit sa veste et voulut attraper son sac. Mais la main de Gary se referma sur son poignet et il l'obligea violemment à lui faire face.

– Vous n'irez nulle part sans ma permission!

Samantha buta contre lui et elle sentit son corps puissant frémir de rage.

– Après tout, c'est vous qui avez commencé ce jeu, mais c'est moi qui vais conclure – à ma façon.

Il l'attira brusquement et l'embrassa avec une passion qu'elle n'aurait jamais crue possible. Elle essaya de lutter pour se dégager, mais l'étreinte était trop forte; il la retenait d'une main et de l'autre caressait la courbe de sa hanche. Elle pouvait à peine respirer, encore moins lui échapper.

Les lèvres de Gary devenaient exigeantes, forçant les siennes à s'entrouvrir et la vague de désir qu'elle avait éprouvé la veille la submergea. Elle s'abandonna à ce baiser, à cette expérience toute neuve. Gary la dominait complètement elle n'avait plus qu'à se conformer à son plaisir. Elle se serra contre lui, pressant les douces courbes de son corps contre sa dure virilité. Il réagit aussitôt, elle sentit grandir en lui la tension qui l'habitait. Détachant enfin ses lèvres de sa bouche, il les posa au creux de son cou.

– J'ai déjà rencontré des intrigantes, mais jamais comme vous. Vous n'avez aucun sens moral, n'est-ce pas?

Samantha sentait un souffle brûlant sur sa peau, les mots lui parvenaient comme dans un rêve.

– Mais qu'espériez-vous gagner avec cette ridicule mascarade? insista-t-il. Vous vouliez me tendre un piège, c'est ça? D'abord vous rendre indispensable au bureau, puis vous découvrir au bon moment... Vous étiez sûre d'avance des pouvoirs de vos charmes. Vous aviez calculé que je ne pourrais plus me passer de vous, au bureau ou ailleurs.

Ses lèvres couraient sur le visage de Samantha, mais la voix de Gary était sèche et cruelle.

– D'accord, reprit-il. On va reprendre tout à zéro. Considérez cette scène comme une audition. On va voir si vous avez autant de talent pour l'amour que pour la sténo.

Sa main descendit le long du dos de Samantha et se glissa sous la ceinture de sa jupe.

La dureté de ses mots avait transformé le rêve romantique de Samantha en cauchemar. Le cœur douloureux, elle dut reconnaître qu'elle était amoureuse de Gary, et qu'elle avait cru un instant par ce baiser qu'il en était de même pour lui. Mais elle devait admettre qu'il n'avait agi que par haine – une haine vicieuse, méchante. Il avait tout gâché de la façon la plus horrible, la plus sordide. Il fallait qu'elle s'éloigne de lui au plus vite avant d'être terrassée par la violence de son animosité – ou par la honte de ses propres sentiments.

– Laissez-moi partir! Vous n'avez pas le droit de me retenir.

Gary éclata d'un rire sans joie.

– C'est vous qui parlez de droit! Figurez-vous que c'est moi qui déciderai quels seront mes droits.

Il recula et s'amusa à la détailler de haut en bas.

– Jolies mains, œil de saphir, cheveux d'or... Je vous garantis que mes droits comporteront quelques petits privilèges que je n'ai jamais exigés de Mme Harrison!

Sa main se posa sur l'épaule de Samantha, puis descendit sur sa poitrine et le geste s'arrêta là.

– Vous vous êtes bien payé ma tête! murmura-t-il d'une voix rauque. Carson savait tout dès le début, n'est-ce pas? Pourquoi aurait-il parlé de chrysalide et de papillon? La transformation, c'est moi qui vais en profiter. Carson pourra toujours se poser des questions!

Ses doigts s'engagèrent dans l'échancrure du chemisier. Sous le coup d'une frayeur désespérée, Samantha lui décocha brutalement un coup de pied dans les jambes.

– Chipie! gémit-il en massant son tibia. Vous allez me le payer!

Mais Samantha n'envisageait pas de s'éterniser dans les parages; à peine libérée de Talbott, elle bondit sur son sac et courut vers la porte. La vue brouillée par les larmes de remords et de honte qui lui coulaient sur le visage, elle dévala les vingt étages et se retrouva dans la rue, hors d'haleine, les jambes coupées, sans comprendre comment elle était arrivée en bas.

Comme une somnambule, elle prit l'autobus jusqu'à Greenwich Village et, à l'abri dans son appartement, elle s'effondra sur le canapé en sanglotant, la tête entre les mains.

Le bruit avait réveillé Janet, qui sortit aussitôt de sa chambre, une expression inquiète sur son visage ensommeillé.

– Qu'est-ce qui t'arrive? Je me demandais où tu étais passée, avec cette panne. J'ai essayé d'appeler ton bureau, mais c'était occupé.

Samantha renifla, agita frénétiquement la main et hoqueta :

– Je n'ai rien... Tout va bien... J'ai passé la nuit dans l'appartement de Gary.

Janet haussa les sourcils et alluma une cigarette.

– Tu as passé la nuit avec Gary Talbott? Mais... et tes principes de morale?

Samantha secoua la tête.

– Non, ce n'est pas ce que tu penses. Gary m'a

invitée à dîner pour m'expliquer un de mes cours du soir. Son amie n'est pas là en ce moment, et il pensait profiter de l'occasion. Mais il ne risque pas de vouloir me séduire. Il aurait plutôt envie de se venger.

Ses sanglots redoublèrent.

– Mais enfin, Samantha, qu'est-ce que tu racontes? Tu m'avais dit que Gary était enchanté de ton travail. Tout allait si bien entre vous.

– Oui – jusqu'à ce matin. Mais il a découvert mon déguisement et... oh! Janet... si tu avais pu le voir! Je le dégoûte!

– As-tu essayé de lui expliquer, au moins? Il aurait pu comprendre que tu as été forcée d'en venir là. Tu as reconnu toi-même que sans ton déguisement tu n'aurais jamais obtenu l'emploi.

– Il ne m'a laissé aucune chance d'expliquer quoi que ce soit. Il est devenu réellement méchant, Janet. J'ai été forcée de démissionner. D'ailleurs, je ne supporterais pas de le revoir.

Janet la saisit affectueusement par l'épaule.

– Tu sais, pour quelqu'un qui recherche une vie sérieuse et simple, tu t'y prends plutôt mal. Allez, arrête de pleurer. James a promis de te trouver un autre emploi en cas de nécessité. Je suis sûre que tout va s'arranger. En attendant, prends un bain et mets-toi au lit. Tu as tout ton temps pour te reposer, puisque tu as démissionné. Moi, il faut que j'étudie mon rôle. Sais-tu ce qu'on va faire? Décrocher le téléphone et oublier le monde extérieur.

Il était déjà tard dans l'après-midi quand Samantha se réveilla. L'esprit encore incertain, elle tournait et retournait ses pensées. Elle avait fui la colère de Gary, mais il lui restait sa propre honte et ses remords. Elle ne s'en débarrasserait pas si aisément. Poussant un profond soupir, elle glissa les pieds dans ses chaussons d'appartement et gagna la salle de bains. Avec soulagement elle vit que sa peau avait retrouvé sa douceur et sa netteté habituelles.

Janet la rejoignit, un vêtement chatoyant à la main.

– Tiens, tu n'as pas l'air de savoir quoi mettre. Prends ça, je te le prête. On se sent toujours mieux avec quelque chose de sexy. Après tout, tu as besoin de changement après ces nippes affreuses que tu n'as pas quittées ces temps-ci.

Samantha prit le pyjama du soir, en mousseline légère, que Janet lui tendait et s'habilla aussitôt.

– Souhaitons que tu aies raison, Janet. Si j'ai l'air belle, le moral suivra peut-être.

Elle ajusta la ceinture du pyjama vaporeux et choisit une paire d'escarpins de chevreau, à très hauts talons. Ses cheveux brossés avec énergie retombaient souplement sur ses épaules. Elle se maquilla très légèrement et, pour juger de l'ensemble, prit Janet à témoin.

– Comment me trouves-tu?

– Décidément beaucoup mieux que ces derniers jours. Au fond, je suis ravie que Gary ait découvert ta mascarade. Quelle bêtise de vouloir te transformer en laideron! Je me demande encore comment j'ai pu avoir une idée aussi ridicule.

Elle disparut dans la cuisine et revint avec une bouteille de vin blanc frais et deux verres à pied. Samantha la laissait faire, subjuguée.

– Janet, il n'est que 5 heures. Ce n'est pas encore le moment de boire du vin.

Janet remplit les verres et lui en tendit un.

– Qu'est-ce que ça peut faire? Moi, j'ai envie de fêter le retour de mon amie. Je t'avoue que je ne regrette pas la vieille fille rabougrie. Tu te rends compte, si tu étais devenue aussi mesquine et sèche que Gary Talbott?

Une lueur de chagrin traversa le regard de Samantha.

– Il n'est pas toujours mesquin et sec, Janet. Tu devrais voir comment Denise Gérard réussit à le faire marcher d'un seul doigt manucuré. Avec elle, c'est un petit garçon. Mais au bureau, le charme féminin cesse d'exercer sur lui tout attrait. Il attend de ses employées qu'elles fonctionnent comme des machines. Enfin, j'ai peut-être eu raison de me sortir de là. Mais cet emploi m'offrait de telles perspectives d'avenir...

Au même moment, la sonnette de l'entrée tinta. Samantha fit signe à Janet de rester assise.

– Attends, j'y vais. J'ai dormi tout l'après-midi, à ton tour de te reposer!

Son verre à la main, elle ouvrit la porte et son cœur fit un bond. Gary était sur le seuil.

– Qu'est-ce que vous voulez? balbutia-t-elle.

Sans répondre, il la repoussa et pénétra dans l'appartement, où Janet n'avait pas bougé du canapé. Il lui jeta un regard froid et s'adressa à Samantha, appuyée contre la porte, les jambes molles.

– Je suis ici pour éclaircir la situation. J'ai dit au bureau que vous aviez besoin d'un jour de repos. (Il eut un rictus.) Naturellement, je ne pouvais pas me douter que vous étiez en pleine fête. Je suppose que vous célébrez le fabuleux succès de votre mascarade.

Janet se dressa.

– Attention! s'écria-t-elle. Ne nous emballons pas, monsieur le grand patron!

Gary la toisa.

– Cette affaire ne regarde que Mlle Lorrimer et moi. J'aimerais lui parler seul à seule.

Janet interrogea du regard Samantha qui

approuva de la tête. Avant de disparaître dans sa chambre, Janet ajouta par-dessus son épaule :

– Si tu as besoin, appelle-moi.

Une atmosphère de froide hostilité pesait sur la pièce.

Gary s'approcha de Samantha et posa ses deux mains sur ses épaules. Il scruta longuement les détails de son visage, de son corps, comme s'il la voyait pour la première fois. Sous son regard, elle se sentit littéralement déshabillée.

– Sacrée chipie! fit-il d'une voix tendue en crispant ses doigts dans sa chair. J'espère que vous avez pris le temps de rire, parce que j'ai envie de vous étrangler. Je ne verrais plus ce sourire sur votre visage!

Il la repoussa brutalement et enfouit ses mains dans ses poches pour ne plus la toucher.

– Tout ce que vous m'avez raconté quand je vous ai engagée n'était donc qu'un tissu de mensonges! Vous m'avez vraiment pris pour un imbécile. J'ai déjà rencontré des filles sans scrupules, mais vous, vous battez tous les records! C'est incroyable!

Samantha posa son verre sur la table.

– Figurez-vous, répondit-elle en tremblant, que je ne suis pas en train de fêter un succès. Je me consolerais plutôt d'un échec. Je n'ai jamais autant regretté quelque chose de ma vie.

Gary haussa les sourcils, sans rien dire, et une lueur indécise flotta dans son regard.

– Mais pourquoi cette comédie? demanda-t-il enfin. Et pourquoi me l'avoir jouée à moi?

Samantha ne put retenir les larmes qui lui montaient aux yeux.

– Je voulais cet emploi – j'aurais fait n'importe quoi pour l'obtenir. Mais c'était une erreur. Je suis désolée.

Elle sanglotait. Gary s'approcha d'elle et demanda d'une voix douce :

– D'accord, vous aviez besoin d'un emploi. Mais je ne comprends toujours pas la raison de ce déguisement.

Samantha se mordit la lèvre, tentant de ravaler ses larmes. Les traits de Gary avaient perdu un peu de leur dureté et elle eut envie de se jeter dans ses bras, de lui demander pardon. Elle se força à poursuivre :

– Mais regardez-moi donc ! M'auriez-vous engagée comme secrétaire si je m'étais présentée comme ça ? Mme Harrison n'aurait jamais accepté. Vous voulez savoir pourquoi je me suis déguisée ?

Gary ne la quittait pas des yeux. Elle prit une profonde inspiration et redressa les épaules.

– Est-ce que vous croyez sincèrement que j'avais envie de jouer un tour au célèbre Gary Talbott ? Ne vous flattez pas. Je courais après un emploi sérieux qui me permettrait de me perfectionner dans le domaine financier. Pour mes employeurs précédents, j'étais une poupée sans cervelle. Tous, ils avaient essayé de m'entraîner sur le canapé de leur bureau. C'est tout ce qu'ils voyaient en moi. Vous comprenez, maintenant ?

Les yeux de Gary étincelèrent comme de l'acier.

– J'ai peut-être été injuste avec vous... Mais vous, vous m'avez bien mal jugé. Pourquoi n'avoir pas dit tout de suite la vérité ? Je ne suis pas du genre à m'imposer si on ne veut pas de moi, vous le savez bien. A plus forte raison s'il s'agit de ma secrétaire. Vous vous flattez aussi, mademoiselle Lorrimer. Vos charmes ne sont pas tout-puissants, même si j'en ai ressenti les effets ce matin.

Samantha baissa la tête. Talbott avait l'air irrité à l'évocation de la scène du matin.

– Je suis ici pour présenter mes excuses. Cela ne se renouvellera pas.

Un long silence embarrassant s'installa entre eux. Puis il haussa les épaules et reprit :

– De toute façon, maintenant qu'il n'y a plus de malentendu, je ne vois aucune raison pour que vous ne repreniez pas votre travail. Je n'ai pas intérêt à perdre une bonne secrétaire, et vous n'avez pas intérêt à perdre un employeur dont la moralité est au-dessus de tout reproche – du moins en ce qui vous concerne. Je vous attends demain matin au bureau à l'heure habituelle.

Samantha, les genoux tremblants, se laissa tomber sur la chaise la plus proche. Elle secoua la tête et ses cheveux soyeux dansèrent autour de son visage.

– Non, fit-elle, c'est impossible. Comment voulez-vous qu'on travaille ensemble, maintenant? Je ne veux pas.

Gary l'obligea brutalement à se relever. La trace de compréhension qu'elle avait cru lire dans ses yeux, un peu plus tôt, avait disparu. Glacée par la froideur de son regard, elle resta pétrifiée. Avec un sourire méchant il l'attira dans ses bras, d'un mouvement si fort qu'il la surprit et, avant qu'elle ait eu le temps de réagir, les lèvres de Talbott se posèrent sur les siennes.

Ce baiser n'avait rien de la passion coléreuse qu'elle avait connue le matin même. La bouche de Gary était tendre, implorante. Sa main descendit lentement le long de son dos, et elle frissonna sous la caresse de ses doigts légers.

Incapable de tout raisonnement, Samantha ressentait la présence de Gary, sa chaleur, et s'abandonna à l'extase qu'il provoquait en elle. Malgré elle, ses bras se refermèrent autour du cou puissant.

Sa bouche s'entrouvrit pour répondre à la sienne, son corps se pressa contre le sien et elle savoura l'intimité de cette étreinte. Son esprit ne contrôlait plus ses mouvements, elle se laissait sugmerger par la vague d'émotion érotique que Gary libérait en elle.

Avec la même brusquerie, il se détacha d'elle et la repoussa. Elle se sentit vide d'un seul coup et tenta de le retenir pour sentir encore la force de son corps contre le sien. Ses yeux le suppliaient, elle avait besoin de la sécurité de ses bras, du bonheur de son étreinte.

Mais Gary était maintenant détaché, lointain; sans émotion apparente, il observait froidement la confusion de Samantha avec un sourire triomphant dont le cynisme lui perça le cœur.

– Vous voyez, vous avez maintenant la preuve que je ne perds pas la tête. Vous n'avez rien à craindre, sauf peut-être de vous-même, bien sûr... En tout cas, soyez tranquille, je n'ai pas l'intention de séduire une femme qui ne s'intéresse qu'à son travail. Vous l'avez dit vous-même. Je peux encore vous enseigner *beaucoup* de choses sur l'industrie financière, ne l'oubliez pas. Tenez, commençons tout de suite, puisque vous y tenez tant. La première chose que vous devez savoir, c'est qu'il ne faut jamais perdre son contrôle, quelle que soit la situation. Ce matin, dans mon appartement, vous aviez tout d'une femme écervelée. Si vous voulez qu'on vous prenne au sérieux, il faudra maîtriser vos émotions. Deuxièmement, vous saurez que je n'accepte jamais un refus. Je vous ai promis de respecter vos charmes, par conséquent rien ne s'oppose plus à ce que vous rejoigniez votre poste. Si vous n'obéissez pas, je peux vous garantir que vous ne trouverez plus jamais le moindre emploi digne de ce nom dans le monde des finances.

Réfléchissez. Ou vous repartez compter les bidons de lait de votre père, ou vous rentrez au bureau. C'est le moment de vous décider.

Samantha baissa la tête, accablée.

– D'accord, monsieur Talbott. Vous ne pouvez pas être plus clair. Je ne pense pas que votre idée soit bonne, parce que je suis convaincue que vous n'aurez plus jamais confiance en moi. Mais nous pouvons toujours essayer.

– Bravo, mademoiselle Lorrimer.

Avant de sortir, Gary examina de nouveau Samantha de haut en bas, s'attardant sur les courbes délicates que révélait le tissu fluide du pyjama.

– Je ne tiens pas à vous revoir déguisée en épouvantail, mademoiselle Lorrimer, mais je vous conseille quand même de choisir quelque chose d'un peu plus strict que ce que vous avez sur le dos ce soir. Vos collègues masculins seront peut-être moins insensibles que moi à vos attraits.

Avec un petit sourire méprisant, il referma la porte derrière lui.

5

Le lendemain, Samantha choisit sa tenue avec un soin exceptionnel. Les derniers mots de Gary Talbott résonnaient encore à ses oreilles, et elle voulait lui prouver qu'elle pouvait être en même temps élégante et correcte. Réflexion faite, elle se décida pour un chemisier de coton blanc boutonné jusqu'au cou, une jupe de madras assez longue et une paire de chaussures plates qui n'accentueraient pas trop la longueur de ses jolies jambes.

Elle étudia sévèrement son image dans le grand miroir de sa chambre. Ses vêtements avaient la même simplicité que celle de son déguisement, mais leur coupe flatteuse soulignait les courbes de son corps et elle paraissait infiniment plus séduisante.

Elle brossa ensuite ses cheveux blonds et les rassembla encore une fois en chignon, trouvant cette coiffure préférable pour le bureau. Après un instant d'hésitation, elle renonça à se maquiller.

Ses lunettes à monture d'écaille traînaient sur la coiffeuse et elle décida de les mettre. Ce serait toujours un bouclier contre les regards trop curieux de ses collègues de travail.

Elle savait que le gros problème restait Mme Harrison. Est-ce qu'elle pouvait la forcer à démissionner? Dans ce cas, elle serait prise en tenailles entre son hostilité et l'ultimatum de Gary. Sûrement qu'au fond Gary n'avait que trop envie de la voir disparaître, mais son orgueil de mâle exigeait d'abord qu'il se venge d'elle.

Talbott avait dû passer la journée de la veille au bureau, car Samantha trouva dans sa machine à dicter une bande de courrier enregistré. Les écouteurs sur ses oreilles, elle se mit à taper les lettres qu'il avait dictées.

A 10 heures, la porte s'ouvrit et Samantha n'eut pas besoin de se retourner pour savoir qui était là. En trois enjambées, Gary était près de son bureau et coupait le dictaphone. Elle ôta ses écouteurs et leva les yeux à contrecœur.

La contrariété de Samantha ne lui échappa pas mais il n'en montra rien.

– Mademoiselle Lorrimer, dit-il, venez dans mon bureau et fermez la porte.

Samantha saisit son bloc sténo et plusieurs crayons bien taillés. Elle attendit pour s'asseoir qu'il s'installe lui-même, mais il n'en fit rien. Il s'approcha d'elle, la détailla avec une évidente approbation, tournant lentement autour d'elle, les bras croisés sur sa large poitrine. Elle sentit le rouge lui monter aux joues, serra les poings et baissa la tête, les yeux fixés sur la moquette. Elle était complètement prise au dépourvu. Finalement, elle explosa.

– L'examen est fini? Vous êtes satisfait? Sinon, je ne demande pas mieux que de quitter les lieux.

Les lèvres de Gary se pincèrent en un petit sourire arrogant et ses yeux gris exprimèrent le dédain.

– Attendez donc que je vous regarde. Il me semble que je vous connais à peine, bien que vos traits aient quelque chose de vaguement familier. J'ai l'impression que nous nous sommes déjà rencontrés.

Gary prit un peu de recul pour mieux juger du personnage.

– Vous êtes une créature vraiment fascinante. Vous passez de la fille desséchée à la femme fatale. Et vous voici, ce matin, en parfaite chargée d'affaires, efficace et charmante. Je suis épaté.

Elle répliqua froidement :

– Vous m'avez demandé de m'habiller correctement pour venir travailler, et je me suis efforcée d'obéir. J'espère que mon apparence vous convient.

Une lueur malicieuse apparut dans le regard de Gary qui détailla chaque détail de la séduisante silhouette.

– Ne jouez pas les naïves, mademoiselle Lorrimer. Votre allure d'hier soir me convenait aussi, mais elle n'était pas recommandée dans le monde de la haute finance. Aujourd'hui, je constate que vous êtes une parfaite dissimulatrice. Heureusement que j'ai une bonne mémoire, sinon j'aurais du mal à imaginer quels charmes se cachent derrière ce chemisier blanc. Décidément, mademoiselle Lorrimer, vous confirmez vos multiples dons. Je crois que vous serez pour notre compagnie un atout encore plus brillant que prévu.

Samantha lança son bloc et ses crayons sur le bureau. Ses yeux jetaient des éclairs.

– Ça suffit! Je vous ai joué la comédie, d'accord, et j'admets que c'était une erreur. Mais n'espérez pas que je vais me sentir éternellement coupable. Je vous ai proposé de démissionner, et c'est vous qui avez insisté pour que je reste. Cela ne vous donne pas le droit de m'examiner comme une esclave à vendre aux enchères!

Gary serra les mâchoires.

– Calmez-vous, mademoiselle Lorrimer. Mes intentions n'ont rien de suspect. J'essaye simplement de m'habituer à votre nouvel aspect. Cela dit, je ne vous permettrai pas de me parler sur ce ton. Je ne tolère ce genre d'excès d'aucun employé de ma compagnie. Vous êtes excusée pour cette fois, mais c'est la dernière. Suis-je clair?

Samantha bouillait intérieurement. Elle ouvrit la bouche, prête à éclater, mais l'expression de Gary l'en empêcha. Il l'avait menacée de lui barrer définitivement la route dans l'industrie financière et son regard déterminé suffit à la convaincre qu'il n'avait pas proféré cette menace à la légère. Un goût de bile dans la gorge, elle fit un effort surhumain pour répondre :

– Très bien, monsieur Talbott. J'ai parfaitement compris. Je vous prie de m'excuser, cela ne se reproduira pas.

Une lueur de triomphe apparut dans les yeux de Gary.

– J'aime mieux ça, mademoiselle Lorrimer. Maintenant, il serait temps de nous mettre au travail. J'ai un peu de correspondance à vous dicter. Voulez-vous reprendre votre bloc?

Il commença à dicter avec sa clarté et sa précision coutumières, et bientôt Samantha, absorbée par son travail, oublia sa colère. Lorsqu'ils eurent terminé, Gary déclara :

– C'est tout pour l'instant, mademoiselle Lorrimer. Soyez gentille de m'apporter une tasse de café. Je vous demanderai ensuite de préparer ces lettres pour qu'elles partent dès aujourd'hui.

De sa voix la plus neutre, Samantha acquiesça.

– Je n'ai pas l'intention de m'en aller avant d'avoir terminé mon travail, monsieur Talbott. Je vous apporte votre café.

Elle rejoignit son bureau et pendant qu'elle préparait le café, Billy entra avec le courrier du matin.

– Bonjour, Samantha. Ça va mieux? Il paraît que vous avez été malade, hier?

Samantha se retourna, la cafetière à la main, mais resta muette devant l'air estomaqué du jeune postier.

– Mais... Qu'est-ce qui vous est arrivé? Je ne vous aurais jamais reconnue!

Au même moment, Gary fit irruption dans la pièce et arracha la cafetière des mains tremblantes de Samantha.

– Donnez-moi ça, ça vaudra mieux.

Il agita la main en direction de Billy.

– Vous, filez à votre bureau. Mademoiselle Lorrimer a changé, c'est entendu. Mais j'interdis formellement qu'on lui pose des questions sur sa vie privée. Je compte sur vous pour en informer toute la maison. J'espère que je me suis fait comprendre?

Billy se dirigea vers la porte en bredouillant :

– Bien, monsieur Talbott. J'y vais.

Avec un regard glacial à Samantha, Gary se versa une tasse de café et sortit sans ajouter un mot.

La fin de la matinée arriva très vite : Gary multipliait les coups de fil et Samantha tapait la correspondance qu'il lui avait dictée. A midi, elle fit monter des sandwichs. Par chance, Mme Harrison avait pris quelques jours de congé et son absence soulagea beaucoup Samantha qui appréhendait de lui faire face. Billy avait dû retransmettre fidèlement les ordres de son patron, car elle n'eut à subir que quelques coups d'œil lancés à la dérobée.

Ses lettres terminées, elle les apporta à Gary pour la signature et le trouva en train d'inscrire des chiffres sur un graphique.

– Je suis à vous tout de suite. J'ai suivi la courbe de ces actions pendant plusieurs mois, et je crois que nous approchons du palier d'achat. Voyez-vous, mademoiselle Lorrimer, si ces valeurs baissent demain matin, nous en achèterons pour plusieurs de nos clients. Autrement dit, c'est probablement une autre journée agitée en perspective.

Samantha examina le graphique avec une attention soutenue. Gary s'étonna.

– Qu'est-ce qu'on vous apprend, à votre cours du soir? La courbe des valeurs c'est l'ABC de notre métier!

Elle secoua la tête, dépitée.

– Bon, venez ici. Je vais vous montrer.

Samantha posa les lettres sur son bureau et, mal à l'aise, se pencha au-dessus de lui. En suivant le graphique du doigt, il expliqua :

– Voici la date à laquelle nous avons commencé à tracer la courbe, il y a déjà plusieurs mois. Par ce signe, on indique le prix d'achat le plus intéressant. Là, je viens d'inscrire leur prix de vente aujourd'hui même.

Il attrapa un énorme dossier derrière Samantha et son bras lui frôla la taille, l'obligeant à se rapprocher de lui. Le parfum épicé de son eau de Cologne monta jusqu'à elle, et elle sentit ses jambes lui manquer. Mais elle ne voulait pas faire un geste qui pût éveiller les soupçons de Gary. Elle se mordit la lèvre et se força à suivre ses paroles.

Il parlait d'une voix calme et sérieuse, visiblement inconscient du malaise qui gagnait Samantha.

– Ces différents graphiques indiquent les prix du stock au cours de ces dix dernières années. Vous allez pouvoir comparer.

Leurs deux têtes inclinées sur les dossiers se frôlaient presque.

Talbott se redressa :

– Vous avez compris? Vous voyez pourquoi la journée de demain promet d'être intéressante?

Samantha balbutia quelque chose en rougissant et se dégagea du bureau. Pendant qu'elle contournait la table, Gary l'examinait sans douceur, tournant et retournant un crayon entre ses doigts.

– Vous n'avez pas écouté un mot de mes explications, avouez-le. Vraiment, mademoiselle Lorrimer, vous me navrez. Il faudrait vous traiter comme un homme – du moins c'est ce que vous réclamez – et dès que j'agis dans le sens de votre désir, vous voilà écarlate et effarée. Si vous voulez vous imposer dans les finances, il va falloir apprendre à contrôler votre émotivité. Gardez à l'esprit, si possible, que nous sommes dans un bureau, pas dans une chambre à coucher. Au fait, pourquoi êtes-vous entrée dans mon bureau tout à l'heure ?

Samantha lui montra les lettres.

– Vous m'aviez demandé de les poster dès ce soir, mais je crains qu'il ne soit trop tard, dit-elle en jetant un coup d'œil sur la pendule. Notre dernière levée est à 5 heures et demie, et il est déjà 6 heures. La leçon a duré plus que prévu. Ça ne fait rien, je passerai à la poste en rentrant chez moi.

Gary commença les signatures sans un mot et Samantha sortit de la pièce. Un peu désœuvrée en cette fin de journée, elle alla poser quelques papiers sur le bureau de Mme Harrison.

Gary ne tarda pas à reparaître, les lettres à la main.

– Elles étaient parfaites, je les ai mises sous enveloppe, lui annonça-t-il. Mais je ne sais pas où vous avez caché les timbres. Du reste, dans ce bureau, le rangement des fournitures reste pour moi un inextricable mystère. Je vous les confie, après quoi nous pourrons partir.

– Ne m'attendez pas, monsieur Talbott, dit-elle en collant le premier timbre. J'en ai pour un petit instant.

– Ça ne me dérange pas du tout. J'ai tout mon temps. Je m'en voudrais de vous laisser seule dans ce bureau désert.

Samantha poussa un soupir.

– Je suis une grande fille, monsieur Talbott; et parfaitement capable de veiller sur moi-même.

Le regard de Gary glissa sur la silhouette pleine de charme.

– Que vous soyez une grande fille, c'est évident, dit-il non sans ironie. Personne ne s'y tromperait. Mais que vous soyez capable de veiller sur vous-même, c'est à démontrer.

Samantha tamponnait les enveloppes de son poing fermé avec une vigueur superflue, à défaut de pouvoir taper sur la face arrogante de Gary qui paraissait s'amuser de plus en plus de sa colère. Enfin, elle glissa le paquet dans son sac et prit congé.

– Bonne nuit, monsieur Talbott. Merci de m'avoir protégée contre les terribles dangers qui me guettent.

Elle se précipita au-dehors, mais il était déjà sur ses talons. Dans l'ascenseur, il la devança et appuya sans rien dire sur le bouton « garage ». Samantha eut un geste exaspéré.

– Je vais au rez-de-chaussée. Je n'ai pas de voiture.

– Moi si, répondit-il en souriant. Et je peux même vous conduire jusqu'à la poste. C'est sur mon chemin. Après tout, il s'agit de mon courrier.

Samantha se hérissa.

– C'est votre courrier, d'accord, mais j'en suis responsable. Et si ce n'est pas trop exiger, je préfère marcher.

Elle tendit la main vers le bouton « rez-de-chaussée », mais il l'immobilisa en route avec fermeté.

– J'insiste. D'ailleurs, c'est moi le patron.

L'argument étant sans réplique, la descente se termina au garage. Gary fit monter Samantha dans la Jaguar et le trajet jusqu'à la poste s'effectua dans un silence pesant. Au moment de descendre de voiture, Samantha voulut prendre son sac posé sur la banquette. Mais la grande main de Gary était posée dessus. Surprise et gênée, elle essaya de dégager le sac, mais il ne bougea pas. Samantha sentait la colère monter en elle.

– Vous permettez que je prenne mon sac, s'il vous plaît?

Gary resta impassible.

– Pourquoi? fit-il Vous n'avez donc pas confiance en moi?

Exaspérée, Samantha se retint de crier.

– La question n'est pas là! Je veux mon sac. Il est à moi et j'en ai besoin. A quoi rime cette comédie ridicule?

Les yeux gris de Gary ne perdaient pas leur calme.

– Vous avez entièrement raison. Cette conversation nous fait perdre un temps précieux. Rassurez-vous, je ne vais pas m'amuser à fouiller dans votre sac. Je vous le garde seulement pendant que vous allez à la poste. Les lettres sont timbrées, il n'y a qu'à les jeter à la boîte. Pourquoi voulez-vous prendre ce sac?

– Mais je pars directement chez moi!

– Naturellement. Postez donc les lettres, et je vous raccompagne après. Allons, dépêchez-vous. Vous êtes en train de perdre votre temps.

Samantha pinça les lèvres et claqua la portière de toutes ses forces. Les lettres enfin postées, elle reprit sa place dans la voiture, les yeux fixés droit devant elle à travers le pare-brise.

Gary démarra, un sourire paternel aux lèvres.

– Où voulez-vous dîner? demanda-t-il.

Samantha ne le regarda pas.

– Je veux rentrer chez moi.

Imperturbable, Gary se glissa adroitement dans le flot de la circulation.

– D'accord. Vos désirs sont des ordres.

Il sifflotait tranquillement, s'amusant de voir Samantha, l'air renfrogné, se presser contre la portière pour s'écarter de lui autant que l'étroitesse du lieu le lui permettait. Elle était sûre que Gary la tourmentait exprès, décidé à lui rendre la vie impossible. Elle ne voyait pas comment expliquer autrement sa conduite de ce soir. Eh bien, bravo, il a gagné, pensait-elle avec amertume. Sa soirée était gâchée et lui devait être en train de savourer sa victoire.

Le pire, c'est qu'elle ne voyait pas comment se défendre. Gary avait juré de ruiner sa carrière si elle le quittait et il ne plaisantait pas. Elle allait payer très cher sa petite mascarade.

La voiture s'arrêta le long d'un trottoir. Samantha posa la main sur la poignée de la portière et s'aperçut qu'ils n'étaient pas devant son immeuble de Greenwich Village, mais dans un quartier de Manhattan connu sous le nom de « Petite Italie » à cause des nombreux résidents italiens qui l'habitaient.

On trouvait là quantité de boutiques proposant toutes sortes de spécialités italiennes : saucisses, fromages, vins, pâtisseries et des tas de bonnes choses.

Samantha se tourna vers Gary et s'apprêtait à poser quelques questions, mais il lui tapota doucement la main.

– Attendez-moi une minute, dit-il en prenant les clés de contact. Ne bougez pas, je reviens tout de suite.

Il la gratifia d'un sourire qui fit battre le cœur de

Samantha et disparut dans la boutique la plus réputée du quartier.

Samantha pianotait nerveusement sur le tableau de bord. Elle voulait rentrer chez elle. Elle n'avait pas envie de se faire raccompagner. Son appartement était à deux pas, rien ne l'empêchait de faire le trajet à pied. Elle hésita un peu en imaginant la réaction de Gary le lendemain matin, mais elle en accepta le risque. L'arme de Talbott, la seule dont il usait contre elle, c'était le pouvoir qu'il avait de la mettre mal à l'aise. Elle n'allait pas continuer à se laisser impressionner. Il menaçait d'anéantir sa carrière? Tant pis! Elle allait lui montrer qu'elle non plus ne manquait pas de volonté. Quand il finirait par s'apercevoir que son intimidation n'avait pas d'effet sur elle, il se fatiguerait du jeu et laisserait tomber.

Elle sauta sur le trottoir et disparut rapidement au coin de la rue.

L'appartement était vide. Dans sa chambre, sur la coiffeuse, elle trouva un mot de Janet posé en évidence.

> *Suis à la répétition. Après, je dîne avec James. Il y a un reste de ragoût dans le réfrigérateur. A plus tard.*
>
> *Janet.*

Samantha fronça le nez. Un reste de ragoût, quel festin! Elle n'avait pas très envie de dîner, tout compte fait. Première chose à faire : glisser dans un bon bain chaud et laisser ses contrariétés disparaître par le trou de la baignoire. Ne plus penser à M. Gary Talbott.

Elle venait d'entrer dans l'eau et de fermer les yeux avec béatitude quand la sonnerie de l'entrée retentit. Bon sang, dès qu'on est dans son bain, il faut que quelqu'un sonne ou appelle au téléphone! Je n'attends personne, se dit-elle. Si on a quelque chose d'important à me dire, on reviendra.

Mais la sonnerie n'arrêtait pas de bourdonner avec un entêtement intolérable. En bougonnant, Samantha s'enveloppa dans un grand drap de bain et, toute dégouttante d'eau, interrogea à travers la porte :

– Qui est là?

– C'est moi. Auriez-vous l'obligeance d'ouvrir cette porte, s'il vous plaît?

Le cœur de Samantha fit un bond. Gary l'avait suivie.

Elle n'avait pas envisagé qu'elle devrait affronter sa colère dès ce soir. Les nerfs tendus, elle essaya de trouver une échappatoire.

– Qu'est-ce que vous voulez?

– Entrer, pardi! Ouvrez donc cette porte!

– Impossible! Je suis dans mon bain.

– Ça m'est bien égal. J'ai des paquets plein les bras et je voudrais bien m'en débarrasser. Arrêtez de faire l'enfant gâtée et ouvrez.

Voilà maintenant qu'il la prenait pour un bébé! Elle n'était pas assez grande pour faire face à la situation, probablement? De plus en plus furieuse, Samantha resserra le drap de bain autour de sa poitrine et ouvrit la porte.

– Eh bien, faites comme chez vous! Mais ne comptez pas sur moi pour vous tenir compagnie!

Elle bondit dans sa chambre et ferma la porte à clé, sans réfléchir au ridicule de la situation : à cause de Gary, elle était prisonnière sous son propre toit, consignée dans sa chambre parce qu'il avait décidé d'occuper le reste de l'appartement. Ça n'allait pas se passer comme ça!

Rejetant le drap de bain, elle enfila ses sous-vêtements, un jean et un tee-shirt. Elle était chez elle, personne ne l'empêcherait d'agir à sa guise, même Gary Talbott. L'air hautain, elle sortit de sa chambre.

Gary était en train de décharger un gigantesque sac d'épicerie sur la table de la cuisine. L'apparition de Samantha fit naître dans son regard une lueur de nette approbation.

– Ce n'était pas la peine de vous changer pour le dîner. La grande serviette de bain vous allait très bien.

Samantha soutint son regard.

– Qu'est-ce que vous faites dans ma cuisine?

– Ça se voit, non? Je prépare le dîner – à votre place, d'ailleurs, puisque c'est vous qui m'avez invité.

Samantha agrippa le rebord de la table.

– Moi, je vous ai invité? Vous êtes sérieux, ou quoi?

Gary la considéra comme si c'était elle qui perdait la tête et poussa un soupir d'exaspération.

– Ma parole, mademoiselle Lorrimer, vous perdez la mémoire. Je vous ai demandé où vous vouliez dîner, et c'est vous qui avez choisi de rentrer chez vous. Moi, j'étais prêt à vous emmener dans le meilleur restaurant de New York. Mais vous savez bien que je cherche toujours à faire plaisir. Je vous ai obéi. Comme je ne vous ai pas retrouvée dans la voiture après mes courses chez les Italiens, j'ai pensé tout naturellement que vous étiez partie en avant pour venir mettre la table et commencer à préparer le dîner. Imaginez ma surprise en vous trouvant dans votre bain! Maintenant j'ai tout sur les bras. Sincèrement, l'ancienne Mlle Lorrimer était beaucoup plus efficace que vous.

Samantha n'était pas d'humeur à apprécier la malice qui brillait dans les yeux de Gary.

– Comment osez-vous dire une chose pareille?

cria-t-elle. Mon travail a toujours été irréprochable, avant comme maintenant.

Gary s'assit sur une chaise et croisa les bras sur sa poitrine.

– Très bien, prouvez-le alors. C'est vous l'hôtesse. Vous pouvez commencer à servir le dîner délicieux que j'ai généreusement acheté. (Il jeta un regard en direction de la chambre à coucher.) Dommage tout de même que vous ayez enlevé ce drap de bain. C'est moins encombrant.

Samantha le fusilla des yeux et s'agita bruyamment dans la cuisine, disposant les assiettes, les serviettes et les couverts d'argent sur la table, furieuse et vexée.

– En tout cas, je ne vous ai jamais invité, marmonna-t-elle.

– Ça se discute, répondit Gary. Mais si je me suis trompé, une hôtesse digne de ce nom se mettrait en quatre pour réparer mon erreur.

D'accord, monsieur Gary Talbott, songea Samantha. Si vous voulez continuer ce petit jeu, on va être deux. Je ne suis pas aussi idiote que vous semblez le croire.

– Mais naturellement, monsieur Talbott, continua-t-elle à voix haute. Je ne sais pas ce qui m'arrive, j'en oublie tous mes devoirs. Restez assis, je m'occupe de tout.

Parfaitement indifférent au sarcasme, Gary semblait très à l'aise sur sa chaise.

– Ah! bravo! J'aime mieux ça. Voulez-vous me passer le tire-bouchon? dit-il en saisissant une bouteille de chianti entourée de raphia.

Samantha sourit malgré elle et posa les verres sur la table. Gary l'aida cérémonieusement à s'asseoir et ils s'installèrent face à face. Samantha regarda les provisions étalées devant elle.

– Vous avez dévalisé la boutique! Qu'est-ce que c'est que tout ça?

– Quelques-unes de mes spécialités italiennes favorites. J'adore ce genre de repas. Vous imaginez si j'étais heureux que vous ayez suggéré de dîner ici ce soir. (Il ignora délibérément la moue vexée de Samantha.) Voici du gratin d'aubergines, des champignons au vinaigre, et là, ce sont des poivrons rouges. J'ai pris aussi un assortiment de viandes et un assortiment de fromages. Essayez tout, je vous dirai le nom au fur et à mesure.

Tout ce qu'elle goûta lui parut délicieux. A la fin du repas, grâce au vin qui avait ranimé son optimisme, elle se sentait capable de parler amicalement avec Gary. Il interrompit ses réflexions en demandant :

– Je suppose que vous n'avez pas d'expresso dans la maison?

Elle se leva sans hâte.

– Non, désolée. Ce sera du café soluble.

Elle versa la poudre dans les tasses et mit l'eau à bouillir.

– Pouah! fit Gary. Du café soluble avec les merveilleuses pâtisseries de Tony, c'est un crime. Tant pis. Il faudra s'y faire.

Ils emportèrent café et dessert au salon. Totalement détendue, Samantha ôta ses chaussures et allongea les jambes sur le canapé. Sa colère tombée, elle se sentait maintenant tout à fait à l'aise en compagnie de Gary.

Il la contemplait d'un regard étrangement doux, la tête un peu penchée.

– Pourquoi ne détachez-vous pas vos cheveux? Ce chignon ridicule gâche le charmant tableau que vous offrez en ce moment.

Samantha s'étira.

– Je suis trop fatiguée pour bouger. Moi, ce chignon ne me dérange pas.

Gary sortit souplement de son fauteuil.

– Eh bien, moi, il me dérange. Et je vais le défaire.

Samantha se raidit. Passant ses mains derrière la nuque, il ôta adroitement les épingles du chignon, puis glissa ses doigts dans les cheveux soyeux. Il la regarda dans les yeux, leurs visages se touchaient presque. Elle comprit ce qu'il désirait et s'assit brusquement sur le canapé, prête à se défendre. Le bruit d'une clé dans la serrure les fit sursauter et la porte s'ouvrit sur Janet, suivie de James Carson.

Janet jugea la situation d'un coup d'œil. Elle haussa un sourcil délicatement arqué et déclara de sa voix bien timbrée :

– Désolée si je vous interromps, mais je ne savais pas que tu avais de la compagnie, Samantha.

Gary se redressa vivement.

– Ne vous excusez pas, j'allais partir. Nous avons travaillé très tard, ce soir. J'ai raccompagné Samantha et nous avons pensé qu'un petit repas froid nous réconforterait. Nous terminions le café.

James se laissa tomber dans un fauteuil.

– Ne partez pas à cause de nous, mon vieux. J'avais l'intention de passer vous voir au bureau, demain. On pourrait discuter tout de suite.

– Non, non, James. Nous avons une rude journée en perspective, il faut que j'aille me reposer. Appelez-moi dans la matinée. Nous pourrons peut-être arranger un déjeuner en fin de semaine.

Il fit un signe d'adieu à la ronde et sortit.

– Allons bon! fit Janet, il a filé. Qu'est-ce qui s'est passé?

– Rien d'autre que ce qu'il a dit. Nous avons travaillé tard et partagé un petit repas froid. Maintenant, je vais me coucher.

Enfermée dans sa chambre, Samantha s'y promena lentement, choisit ses vêtements pour le lendemain et les suspendit à la porte de sa garde-robe. La conversation étouffée qui se déroulait dans le salon lui parvenait à travers la porte, et elle rougit en pensant à l'expression étonnée de son amie, un instant plus tôt. Comment les choses auraient-elles tourné si Janet et James n'étaient pas arrivés?

En ruminant ces pensées, elle se glissa entre les draps frais. Gary occupait son esprit, et, au souvenir de la douceur de ses gestes, tout à l'heure, elle se prit à regretter que leur duo ait été interrompu si vite.

6

Non seulement le lendemain, mais les journées qui suivirent dépassèrent en agitation tout ce que Gary avait prévu. Plusieurs valeurs atteignirent leur prix d'achat en même temps et pendant que Gary surveillait les cotations, Samantha consignait et vérifiait chaque commande. Ils durent attendre le jeudi suivant pour reprendre leur souffle. Vers 6 heures du soir, Gary se frotta les mains, enchanté de ses opérations. Il ne restait plus qu'à suivre les enregistrements au service de comptabilité.

Samantha bavardait avec Gary, profitant de leur nouvelle tranquillité, quand les effluves d'un parfum coûteux embaumèrent soudain le bureau.

Denise Gérard venait d'arriver, élégamment vêtue d'une robe bain de soleil en mousseline bleu pâle. Ses cheveux blond platine, relevés sur les tempes, retombaient sur la peau bronzée de son dos nu en une cascade de boucles élaborées.

Elle jeta un coup d'œil machinal à Samantha, mais son visage se figea littéralement sous le choc.

– Mais... qu'est-ce que vous...?

Lui coupant la parole, Gary se leva pour l'accueillir. Samantha ne comptait plus. Denise se jeta dans ses bras, déposa sur sa joue un baiser provocant et possessif. Puis elle blottit sa tête dans le cou de Gary.

– Chéri, j'avais tellement envie de vous voir que j'ai décidé de rentrer plus tôt. Je vous ai beaucoup manqué?

Gary jeta à Samantha un regard en dessous.

– Merci, mademoiselle Lorrimer. Ce sera tout pour l'instant. Voyez seulement auprès de la comptabilité que mes ordres de commande soient bien établis.

Le petit rire suave de Denise Gérard accompagna la sortie de Samantha et lui serra le cœur. Elle se savait incapable de rivaliser avec la fiancée de Gary, avec sa sophistication, son aisance, toutes ces qualités qui ne s'acquièrent pas, qui vous sont données par la chance d'une riche naissance. Les bagues, les bracelets rutilants de Denise brillaient sur des mains qui n'avaient jamais travaillé, des mains faites pour caresser et apaiser un homme amoureux. Bien sûr, Samantha le savait au fond d'elle-même, l'homme en question s'appelait Gary Talbott.

Elle essaya de distraire son esprit en classant les bons d'achat avant de les inscrire sur les fiches de l'ordinateur. Gary sortit de son bureau, accompagné de Denise qui avait passé son bras sous le sien et affichait un air de propriétaire. Samantha eut un sourire amer. Jamais Denise ne serait femme à subir le quart de ce que l'arrogance et l'autorité de Gary lui avaient infligé à elle-même.

Gary libéra son bras, caressant affectueusement la main de sa fiancée, et jeta un coup d'œil rapide sur les piles de bons.

– Nous avons assez travaillé, mademoiselle Lorrimer. Je m'en vais. Rentrez chez vous aussi. Nous nous occuperons de tous ces détails demain matin.

– Ne vous inquiétez pas pour moi, monsieur

Talbott. Je n'ai pas de cours, ce soir. J'ai le temps de préparer les fiches pour l'ordinateur.

Gary tiqua légèrement.

– Rien ne presse, voyons. D'abord, je n'aime pas beaucoup vous laisser seule dans les rues. Le quartier est désert à cette heure-ci.

Denise l'entraîna impatiemment vers la porte.

– Vraiment, Gary, je ne vous reconnais plus. Quelle mère poule! Mlle Lorrimer est capable de se défendre, il me semble.

Il la suivit à contrecœur, le front barré d'une ride soucieuse.

Samantha travailla jusqu'à huit heures et mettait le point final à sa dernière fiche lorsqu'un pas lourd résonna dans le couloir. Elle se raidit, se rappela au même moment qu'elle n'avait pas fermé la porte à clé et prit conscience qu'elle était seule dans l'immeuble.

D'une main tremblante, elle prit le téléphone et commença à composer le numéro du commissariat de police le plus proche. La porte s'ouvrit derrière elle et la haute silhouette de Gary Talbott apparut sur le seuil. Avec un bruyant soupir de soulagement, elle reposa le combiné.

– Vous m'avez fait peur. Je ne vous attendais pas.

Gary n'avait pas l'air content du tout.

– Vous n'écoutez jamais ce qu'on vous dit, alors? Je vous ai interdit de rester au bureau après l'heure. N'importe qui pouvait entrer ici. Vous auriez été bien avancée!

– Je suis parfaitement capable de me débrouiller. Du reste, j'appelais la police quand vous êtes entré.

Gary ricana.

– Vous aviez le temps de mourir dix fois avant que la police arrive. Je vous ai dit de rentrer chez vous, et j'exige que mes employés obéissent à mes ordres. Vous avez sans doute décidé de m'exaspérer. Vous voulez que je finisse, de guerre lasse, par vous mettre à la porte. Mais vous perdez votre temps. Je vous ai promis que vous regretteriez votre petite mascarade et j'y veillerai moi-même. Vous avez sans doute l'habitude de faire marcher les hommes, mais avec moi, ça ne prend pas. Je ne trouve pas la nouvelle Samantha plus irrésistible que l'ancienne, et j'ai l'intention de vous le prouver. Vous occuperez cet emploi jusqu'à ce que je vous permette de le quitter. Maintenant, prenez vos affaires. Nous partons.

– Attendez au moins que je porte ces fiches à l'ordinateur. J'en ai pour une minute.

Gary l'empoigna brutalement par le poignet, l'obligeant à lâcher la pile qu'elle tenait.

– J'ai dit que nous partions! cria-t-il en la poussant brutalement vers la porte.

Samantha bouillait de rage.

– Pas étonnant que vos secrétaires vous lâchent les unes après les autres. Vous êtes un tyran!

– Je n'ai pas l'impression de faire acte de dictature en exigeant la discipline de mes employés, rétorqua froidement Gary. Quant à vous, vous désobéissez délibérément.

– J'avais un travail à terminer. Un travail dont je suis responsable.

Les yeux de Gary jetèrent des éclairs.

– Votre travail consiste d'abord à exécuter mes instructions.

– Peut-être, monsieur Talbott. Mais j'ai aussi une responsabilité envers la compagnie.

– La compagnie, c'est *moi*, mademoiselle Lorrimer. Tâchez de vous en souvenir.

Il la fit monter dans sa voiture et claqua la

portière. Il s'engagea dans la circulation et lorsqu'il reprit la parole, sa voix s'était adoucie.

– Avez-vous mangé ?

– Je n'ai pas faim.

– Je me demande pourquoi je perds mon temps à m'occuper de vous. Je sais bien que vous n'avez rien avalé et que vous irez probablement vous coucher comme ça. Venez, on va grignoter quelque chose.

Samantha répéta froidement :

– J'ai dit que je n'ai pas faim.

– Eh bien, moi, oui, répliqua Gary. Si l'appétit vous manque, vous pourrez toujours me regarder manger.

– Vous n'avez pas dîné avec Mlle Gérard ?

– Je n'en avais pas envie tout à l'heure. D'ailleurs, Mlle Gérard a eu la migraine. Je l'ai reconduite chez elle.

– Ah ! fit Samantha. Vous êtes venu chercher un bouche-trou.

Les yeux de Gary brillèrent malicieusement.

– Ma chère mademoiselle Lorrimer, vous ne pourrez jamais remplacer Denise. Il n'y a aucune comparaison.

Samantha frémit de colère.

– Oh ! ce que pouvez m'énerver !

– Il me semble, oui, répondit Gary en se penchant vers elle avec un sourire dévastateur.

Il semblait tout à fait détendu, à présent.

La voiture s'engagea dans les quartiers résidentiels au nord de Manhattan. Les immeubles austères du secteur financier faisaient place aux grands magasins, aux petites boutiques élégantes et aux restaurants, dans une opulence qui n'était pas faite pour le salaire d'une secrétaire.

Samantha détourna son regard des vitrines magiques.

– Où m'emmenez-vous? Je suis fatiguée pour de bon, et je voudrais rentrer chez moi.

– Vous rentrerez chez vous en temps voulu, soyez tranquille.

Gary s'arrêta devant l'entrée d'un restaurant célèbre de la Cinquième Avenue. Une fois de plus, portier et employé de parking se précipitèrent au-devant d'eux. Ils franchirent une lourde porte cuivrée et prirent l'ascenseur jusqu'au restaurant, situé en terrasse. En passant sous une arcade, ils pénétrèrent dans une grande salle basse, dont les tables éclairées aux bougies entouraient une piste de danse. Un orchestre jouait en sourdine une douce mélodie.

Le maître d'hôtel salua Gary par son nom et les conduisit à une table pour deux, près d'une baie vitrée donnant sur Central Park. Gary commanda un Martini pour lui, et un verre de vin blanc frappé pour Samantha. Puis, sans la consulter, il demanda qu'on leur serve le menu habituel.

Gary paraissait tout à fait détendu.

– J'aime bien venir ici. On voit Central Park sous un autre angle que de ma terrasse. Vous vous souvenez?

Samantha rougit. Oh oui! elle se souvenait, et même trop bien. Elle avala une gorgée de vin et se détourna vers la baie vitrée. Les yeux de Gary ne quittaient pas son profil.

– Je vous ai posé une question. Voulez-vous répondre, ou préférez-vous bouder toute la soirée?

– Je ne boude pas. Je n'ai pas envie d'être ici. Je suis fatiguée, je voudrais rentrer chez moi.

– Vous auriez dû y penser plus tôt et rentrer chez vous quand je vous le disais. Dites-vous, puisque c'est une corvée, que ce dîner fait partie de vos obligations professionnelles et prenez-le comme une punition de votre désobéissance. Contrairement à vous, mademoiselle Lorrimer, je ne triche jamais et je ne parle pas à la légère.

– Je vous ai dit cent fois que je regrette ma stupidité. Que voulez-vous de plus? Votre colère n'a aucun sens. Il faut savoir s'arrêter.

– Je ne suis pas en colère, mademoiselle Lorrimer. Je me rembourse. Ce n'est que justice.

– Mais ce n'était pas un amusement pour moi! Je voulais un travail sérieux, je voulais m'instruire dans mon métier.

Gary finit son verre.

– Vous avez atteint votre but, non? Vous avez déjà appris pas mal de choses, on ne peut pas dire le contraire.

Samantha hocha la tête.

– C'est vrai, j'ai un emploi intéressant et j'aime beaucoup mon travail. Seulement...

– Seulement quoi, mademoiselle Lorrimer?

– Oh! rien.

Comment aurait-elle pu lui dire que c'était lui, son problème? S'il consentait à cesser ses tracasseries, peut-être finirait-elle par acquérir une certaine assurance. Mais s'il ne relâchait pas sa pression, elle était capable de s'effondrer. A son grand soulagement, le dîner arriva. Elle savoura malgré elle le succulent rôti d'agneau accompagné de petites pommes de terre sautées. Au dessert, Gary insista pour lui faire goûter la spécialité du restaurant, un café noir arrosé de liqueur au chocolat et couronné de crème fouettée. Tandis qu'elle dégustait ce mélange suave et fort à la fois, Gary ne cessait de l'observer sans cacher son amusement. La dernière cuillerée avalée, Gary se leva.

– Venez danser.

– Oh non, par pitié, répondit-elle d'une petite

voix lasse. J'ai beaucoup de travail demain, je voudrais vraiment me coucher tôt.

Gary la prit par la main et l'obligea à se lever.

– Le patron ne vous demandera pas d'arriver aux aurores.

Il l'empêcha de protester en lui posant doucement un doigt sur les lèvres.

L'orchestre jouait en sourdine un air langoureux. Gary l'attira contre lui, un bras autour de sa taille et, n'ayant d'autre choix, elle dut le tenir par le cou. Elle essaya bien de réserver un peu de distance entre eux, mais Gary resserra son étreinte et, tout en dansant, amena la tête de Samantha dans le creux de son épaule. A travers l'étoffe de son veston, elle percevait les battements de son cœur.

De sa main libre, il lui caressait le dos; sa bouche effleura son oreille, puis l'artère palpitante de son cou. Il chuchota dans un souffle brûlant :

– Détendez-vous, Samantha. Vous êtes plus raide qu'une planche de bois.

Une vague de fièvre submergea Samantha. Elle appuya sa main contre la poitrine de Gary et recula légèrement la tête pour le regarder en face. Mais elle comprit vite son erreur. Sans hésiter, Gary en profita pour poser ses lèvres sur les siennes. Son baiser, d'abord tendre et léger, se fit insistant. Elle s'agita, réussit à se dégager et, levant sur lui ses yeux limpides, murmura d'une voix rauque à peine audible :

– Laissez-moi partir, maintenant.

L'expression de Gary durcit tout d'un coup. Il relâcha son étreinte et la reconduisit immédiatement à leur table. Sans échanger un mot, ils quittèrent l'établissement et se retrouvèrent dans la voiture.

Gary conduisait lentement, occupé seulement, semblait-il, à suivre la circulation. Autant Samantha se sentait énervée, autant lui paraissait peu affecté par ce qui venait de se passer. Tranquillement, il lui demanda :

– Et si vous veniez dormir chez moi? On n'aurait pas besoin de traverser la ville et demain, je vous emmènerais directement au bureau. Personne ne pourrait vous reprocher d'être en retard! Mais je suppose que vous allez refuser, évidemment.

Toute l'émotion que Samantha essayait de refouler explosa en une bouffée de colère.

– Ah ça! Sûrement que mon retard n'intéresserait personne, mais ma réputation, elle, en prendrait un drôle de coup! Naturellement, c'est le dernier de vos soucis. Je me demande pourquoi vous ne vous adressez pas à votre précieuse Denise? Elle ne vous refuserait pas ce plaisir, j'en suis certaine.

– Vous avez parfaitement raison. Elle est affectueuse et douce, ce n'est pas une mauvaise langue comme vous.

Ils arrivaient devant l'immeuble de Samantha. Gary lui fit signe de ne pas bouger.

– Une dame doit toujours attendre que le gentleman qui l'accompagne lui ouvre la portière.

– J'ignorais qu'il y avait un gentleman dans les parages.

– Touché. Mais vous me le paierez.

Cette fois encore il l'aida à descendre et l'accompagna vers l'immeuble.

A la porte elle se retourna.

– Inutile d'aller plus loin, dit-elle sèchement. Je vous remercie.

Sans tenir compte de sa remarque, il maintint la porte ouverte, si bien qu'elle fut obligée de passer sous son bras, et il lui emboîta le pas.

Il était toujours là lorsqu'elle sortit de son sac la clé de l'appartement. Avec douceur, Gary la lui prit des mains et ouvrit lui-même la porte. Sans un remerciement ni un regard, elle passa devant lui mais il l'arrêta.

– La soirée n'est pas finie, du moins pas encore.

Le feu de son regard brûlait de colère et de désir. Il l'attira sauvagement contre lui et lui écrasa la bouche de ses lèvres dans un baiser sans tendresse, un baiser brutal destiné à ne satisfaire que son propre plaisir.

Le sang de Samantha afflua dans ses veines et elle se sentit tout à coup impuissante, soumise à une passion irrésistible. Malgré elle, ses bras s'enroulèrent autour de son cou, sa bouche répondit à la sienne avec ferveur. Plus rien n'existait d'autre que le corps de Gary sur sa peau consentante; tout son être se tendit vers lui.

Gary en fut conscient et s'adoucit. Les mains d'acier qui l'emprisonnaient se mirent à la caresser tendrement, intimement bientôt. Sa bouche suivit l'ovale de sa joue, jusqu'à son cou, sa gorge; elle renversa la tête, s'exposant à son souffle rapide.

Timidement, les doigts de Samantha avancèrent vers la poitrine de Gary, jouèrent avec les boutons de sa chemise, glissèrent sous l'étoffe à la rencontre de sa peau tiède. Elle pouvait percevoir les battements de son cœur qui palpitait sous sa caresse et une onde de plaisir l'envahit. Elle chercha son regard, espérant que la barrière inflexible qui la glaçait aurait disparu.

Mais elle n'en eut pas le loisir, car les lèvres de Gary emprisonnaient de nouveau les siennes, activant en elle une émotion qui arrivait à son paroxysme. Elle s'accrocha à lui avec une sorte de désespoir, cherchant à se pénétrer de son être tout entier. Il pouvait tout lui demander, elle était prête à tout lui accorder. Son corps avait besoin de Gary, elle voulait qu'il l'emporte vers les plus hautes cimes de l'amour.

En pleine extase, elle sentit qu'il se détachait d'elle. L'étreinte de ses bras se desserra et il baissa les yeux sur ses lèvres tremblantes. Une lueur moqueuse dansa dans son regard.

– J'estime que ce baiser est un acompte sur le remboursement que vous me devez pour votre sarcasme de tout à l'heure, dit-il.

Il s'effaça pour laisser entrer dans son appartement une Samantha confuse et blessée.

– Fermez à double tour, conseilla-t-il. Vous savez aussi bien que moi qu'il n'y a pas de gentleman dans les parages. Sait-on jamais quel genre de créature pourrait vous guetter.

Le bruit de ses pas s'éteignit dans l'escalier, mais son rire arrogant résonna dans les oreilles de Samantha longtemps après.

Allongée dans son lit, elle revivait les minutes passées. Les lèvres de Gary brûlaient encore les siennes et sa peau frémissait encore de la caresse de ses doigts.

Pour rien au monde, elle n'aurait voulu tomber amoureuse de Gary Talbott. Et pourtant, aucun doute, elle l'était. Maintenant, elle allait devoir se méfier d'elle-même et résister de toute sa volonté pour ne pas lui céder.

Toute la journée du lendemain, Samantha se trouva seule au bureau. Gary participait à une conférence de travail à l'extérieur et son absence lui fit le plus grand bien.

Le week-end lui apporta un répit supplémentaire. Le dimanche matin, elle entendit Janet partir de bonne heure pour rejoindre James, avec qui elle passait maintenant presque tout son temps libre;

l'appartement tout à elle, elle paressa et somnola encore un bon moment.

Ce fut une sonnerie insistante qui la força à ouvrir les yeux. Ce n'était ni le réveil ni le téléphone, mais le carillon de l'entrée.

Attrapant machinalement sa robe de chambre, elle se leva sans enthousiasme et lança d'une voix mal réveillée :

– Qui est là ?

– C'est moi, Gary.

On était bien dimanche. Samantha n'avait pas encore l'esprit très clair, mais elle était sûre que ce n'était pas un jour de travail. Qu'est-ce que Gary Talbott venait faire chez elle ? Il s'était passé quelque chose, il avait peut-être besoin de son aide ?

Elle ouvrit la porte aussi vite qu'elle put, soudain inquiète :

– Vous avez des ennuis ? Qu'est-ce qui ne va pas ?

Gary prit le temps de regarder son corps à peine vêtu, puis son visage. Il referma la porte et la prit tendrement dans ses bras en effleurant ses cheveux d'un baiser.

– Tout va bien, Samantha. Ne vous faites pas de souci.

Samantha commençait à se ressaisir. Du coup, elle prit conscience que son négligé était largement ouvert sur son pyjama court en nylon transparent. L'étoffe légère épousait librement les formes de son corps, révélant leurs courbes sensuelles. Ses longues jambes étaient nues, et sous le regard de Talbott, elle se sentit devenir nerveuse.

Elle tenta de nouer sa ceinture.

– Alors, pourquoi êtes-vous venu ? dit-elle avec plus d'assurance.

Gary s'assit tranquillement dans un fauteuil près de la fenêtre.

– J'étais dans le quartier. J'ai pensé que je vous trouverais peut-être chez vous.

– Bon, vous m'avez trouvée. Maintenant, dites-moi ce que vous voulez.

– La bonne humeur ne règne pas, ce matin, on dirait.

– Je n'ai pas à être de bonne humeur. Aujourd'hui, c'est dimanche. L'agence *Talbott et Associés* ne me paie pas pour travailler ce jour-là.

Gary sourit avec indulgence.

– Dommage! Cette tenue vous va si bien qu'aucun patron ne refuserait votre collaboration pendant le week-end.

Samantha se contraignit à faire comme si elle n'avait rien entendu.

– Voudriez-vous, s'il vous plaît, me dire ce qui vous amène? Ensuite je vous demande de me laisser. Je me dispenserais de vos insultes.

Gary reprit brusquement son sérieux. Il quitta son fauteuil pour s'asseoir sur le canapé, près de Samantha.

– Je n'ai rien dit qui puisse vous insulter, Samantha. Vous voyez bien que je plaisante. Si vous voulez le savoir, je venais vous présenter mes excuses pour ma conduite d'hier soir. J'avais juré de ne plus vous faire aucune avance et j'ai manqué à ma parole. Je ne recommencerai pas, je vous le promets. Tenez, je vais passer toute la journée avec vous pour vous prouver à quel point ma conduite sera correcte à partir de cet instant.

Samantha secoua la tête : ses relations avec Gary Talbott étaient une véritable douche écossaise.

– D'accord, vous êtes pardonné. Mais vous auriez pu téléphoner, c'était bien suffisant.

– Et vous auriez trouvé une excuse pour refuser de passer la journée avec moi.

– Je n'ai pas besoin de chercher une excuse. J'ai trop de choses à faire pour sortir.

– Quoi donc?

– Je... j'ai du ménage en retard, mon journal du dimanche à lire, des lettres à écrire...

– Tout ça peut attendre. Vous prenez des prétextes pour repousser mon invitation. C'est injuste. Vous ne me donnez pas l'occasion de me racheter.

Samantha se sentit faiblir. Evidemment, elle mourait d'envie de passer son dimanche avec lui!

Il vit bien qu'elle hésitait et en profita pour pousser son avantage.

– Allez vite vous habiller. Je meurs de faim.

Il la poussa littéralement jusqu'à sa chambre et cria à travers la porte fermée :

– J'ai une petite surprise pour vous!

Samantha ne traîna pas pour se préparer.

– Et mettez quelque chose de simple! ajouta la voix de Gary derrière la porte.

Quand elle ressortit en pantalon de toile beige bien ajusté et chemise de coton à rayures, le regard admiratif de Gary lui montra clairement qu'il appréciait son choix. Elle prit son sac et ils descendirent dans la rue.

La voiture était rangée le long du trottoir, mais Gary ne s'y arrêta pas.

– On ne prend pas la voiture. C'est tout près. D'ailleurs, un peu de marche nous ouvrira l'appétit.

Samantha éclata de rire.

– J'ai déjà tellement faim que j'avalerais un cheval!

Au fur et à mesure qu'ils avançaient, les trottoirs se peuplaient d'une foule qui affluait de partout. On entendait au loin l'écho d'une vieille mélodie italienne. A l'étonnement de Samantha, Gary répondit par un sourire mystérieux. Ils tournèrent le coin de la rue, suivant le flot qui avançait dans la direction de la musique. Aux arbres et aux fenêtres pendaient des lampions multicolores et dans la rue interdite aux automobiles, des marchands ambulants vendaient des friandises et des sandwichs chauds qui remplissaient l'air ensoleillé de leurs arômes tentateurs.

Gary s'arrêta devant un kiosque.

– Nous sommes au festival paroissial de San Gennaro, expliqua-t-il. Tous les ans, les gens viennent de loin pour se rencontrer et déguster les petits plats traditionnels. Je ne le rate jamais. Cette fois, c'est encore mieux, puisque vous êtes avec moi.

En passant devant un petit étal, il acheta des petits pains croustillants fourrés de saucisses piquantes et ils continuèrent d'avancer en mangeant. Toute la journée ils déambulèrent, goûtèrent à toutes les spécialités italiennes sans exception, dansèrent la tarentelle avec les habitués et chantèrent en chœur. Samantha s'amusait comme elle ne l'avait pas fait depuis longtemps et le temps fila comme un éclair. Vers la tombée du soir, Gary la prit par le bras pour s'écarter un peu de la foule.

– Il commence à être tard. Il faudrait peut-être rentrer.

Tandis qu'ils marchaient lentement, sans parler, vers les rues plus tranquilles en direction de son immeuble, Samantha savourait son bonheur. Fidèle à sa parole, Gary s'était conduit en parfait gentleman. Pas une fois il ne s'était moqué d'elle, pas une fois il n'avait cherché à la mettre en colère.

A la porte de l'appartement, Gary lui prit les clés des mains et la guida doucement par la taille dans l'entrée.

– Allumez toutes les lumières et faites le tour des

pièces, recommanda-t-il en restant sur le seuil. J'attendrai ici.

Samantha revint rapidement.

– Rien d'anormal. Vous êtes vraiment très prudent.

– Peut-être, répondit Gary. Mais souvenez-vous que nous sommes à New York, pas dans une calme petite ville de province.

– J'ai l'habitude de me débrouiller seule. Ne vous inquiétez pas, Gary.

Il avait lui-même insisté pour qu'elle l'appelle par son prénom, au moins en dehors du bureau, mais elle avait encore du mal à le faire naturellement.

– Oh oui, vous vous débrouillez seule, reprit-il. Je crois même que vous le faites trop bien.

Il y eut un silence, puis il continua d'une voix soudain basse et voilée :

– Pourtant, il n'y a pas de mal à laisser quelqu'un s'occuper de vous de temps en temps.

Samantha leva la tête vers lui. Dans le regard de Talbott, luisait une émotion toute neuve. Elle perçut son désir fugitif, vite contrôlé, auquel ses yeux répondirent par un message de tendresse qu'elle ne put retenir. Mais il ne prononça pas un mot et, tournant les talons, il dévala l'escalier.

Samantha referma la porte. Elle se sentit soudain très seule et frissonna malgré la tiédeur de ce mois de septembre.

7

Mme Harrison débordait littéralement d'hostilité. D'un ton aigre elle apostropha Samantha :

– Vous pouvez être fière de vous. On répète dans toute la maison que vous m'avez bien fait marcher. Mais vous savez, il y a une chose que M. Talbott et moi-même ne supportons pas, c'est la malhonnêteté. Je suis surprise qu'il ne vous ait pas encore renvoyée.

La fureur de Mme Harrison ne prenait pas Samantha au dépourvu. Elle s'attendait depuis le début à subir une scène en règle.

– Je n'ai pas été renvoyée parce que je suis une bonne secrétaire, et c'est ce qui compte pour M. Talbott. Je ne vois pas ce que mon apparence physique pourrait y changer.

Mme Harrison toisa Samantha.

– Ça change tout, justement. Vous êtes sans doute persuadée que M. Talbott va succomber à votre maquillage et à vos tenues de star. Mais n'y comptez pas, je vous le conseille. Gary Talbott ne tombera pas dans le piège de vos petites manigances.

– Enfin, c'est inouï! Personne ne comprendra donc jamais que c'est mon métier qui m'intéresse? Je ne tiens pas à priver Denise Gérard de son fiancé; l'idée que Gary Talbott puisse me préférer à elle ne m'a jamais effleurée. Maintenant, j'aimerais que vous me laissiez en paix, s'il vous plaît. J'ai beaucoup de travail.

Mme Harrison tourna les talons mais Samantha savait qu'elle n'en avait pas fini avec elle.

Le téléphone sonna. Surprise, elle reconnut la voix de Denise Gérard.

– Je suis désolée, mademoiselle Gérard, mais M. Talbott n'est pas encore là.

– Ça tombe bien, mademoiselle Lorrimer, dit Denise. C'est à vous que je voulais parler avant l'arrivée de Gary. Vous avez vu que votre métamorphose ne m'a pas échappé l'autre jour et, d'ailleurs, Mme Harrison m'a éclairée sur votre situation. Je tiens à vous rappeler que Gary et moi sommes pratiquement fiancés. Je vous serais reconnaissante de ne pas vous rendre intéressante en faisant étalage de vos charmes.

Samantha crispa les doigts sur le combiné.

– Si mon apparence soulève de tels drames, je suis vraiment confuse. Mais je peux vous assurer que M. Talbott et moi n'entretenons que des rapports strictement professionnels. Je m'intéresse à mon métier, c'est tout.

– Tant mieux, déclara Denise. Vous risqueriez du reste de souffrir de vos illusions et j'avoue que je n'aimerais pas cela. Bon. Je suis ravie d'avoir pu parler avec vous à cœur ouvert. Et, heu..., mademoiselle Lorrimer, inutile de rapporter cette petite conversation à Gary. Gardons-la pour nous, entre femmes.

Elle raccrocha.

Samantha garda un instant le téléphone muet en main avant de le claquer violemment sur son support. C'est incroyable! songeait-elle. Il fallait déjà supporter les pénibles tirades de Mme Harrison et voilà que Denise se mettait de la partie. Elle poussa un soupir et se mit difficilement au travail.

Gary arriva à 10 heures et fila tout droit vers son bureau.

Samantha lui emboîta le pas avec une pile de messages. Gary les parcourut rapidement, puis lui demanda d'appeler un de leurs clients à Los Angeles et de lui apporter du café. Il semblait avoir tout oublié des événements du week-end.

Billy, arrivant avec le courrier du matin, apporta une distraction aux préoccupations de Samantha. Ils échangèrent tranquillement quelques banalités, mais Mme Harrison interrompit brutalement leur bavardage. Les dévisageant froidement, comme s'ils étaient en faute, elle demanda sévèrement :

– Vous n'avez rien d'autre à faire tous les deux? Je regrette, Samantha, mais je me vois dans l'obligation de rapporter votre attitude à M. Talbott. Il ne suffit pas que vous nous ayez joué la comédie, maintenant vous vous mettez à négliger votre travail...

Elle traversa énergiquement le bureau de Samantha et frappa à la porte de Gary. Samantha bondit.

– Vous n'avez pas le droit! M. Talbott est en train de téléphoner. On ne doit pas le déranger, je ne peux pas le permettre.

Mme Harrison commença à baisser la poignée de la porte et lui jeta un regard dédaigneux.

– Je prends l'entière responsabilité de mes actes, mademoiselle Lorrimer.

Interrompu en plein travail, Gary fit un signe agacé de la main pour congédier Samantha. Avec un sourire de suave ironie, Mme Harrison entra dans le bureau du directeur.

Samantha retourna s'asseoir. L'interphone bourdonna aussitôt : Gary voulait qu'elle bloque toutes les communications pendant son entrevue avec Mme Harrison.

L'entretien dura plus d'une heure. Quand Mme Harrison reparut, son regard glacial traduisait parfaitement son humeur. La voix de Gary retentit dans l'interphone.

– Mademoiselle Lorrimer, apportez-moi une autre tasse de café, s'il vous plaît.

Samantha posa la tasse de café devant lui. La voix profonde de Gary l'empêcha de partir.

– Asseyez-vous. Il faut que je vous parle.

Samantha obéit à contrecœur. Elle était rongée d'inquiétude sur la teneur du tête à tête entre Gary et Mme Harrison. Avait-elle réussi à le convaincre de la congédier? Sa situation actuelle était sans doute intolérable, mais elle ne pouvait envisager l'idée de perdre Gary. Elle s'efforçait de chasser son image et en même temps elle mourait d'envie d'être dans ses bras, contre lui. Son estomac se noua et elle crispa les poings, enfonçant ses ongles dans la paume de ses mains.

Gary se balançait sur sa chaise en regardant le plafond, les doigts croisés sur sa poitrine. Brusquement, il se laissa tomber en avant, et fixa Samantha droit dans les yeux.

– Mme Harrison n'est pas contente de votre travail. Il paraît que vous perdez votre temps à tenir des conversations privées avec Billy Haskins.

La nervosité de Samantha se transforma immédiatement en colère.

– C'est absolument ridicule. Billy et moi sommes de bons camarades, c'est tout!

Le visage de Gary demeura impassible.

– Admettez tout de même que vous passez pas mal de temps avec lui. Mme Harrison me dit qu'elle vient encore de vous surprendre en pleine conversation, il y a un instant.

Les yeux de Samantha étincelèrent.

– Oui, nous bavardions. Et après? Vous feriez mieux de savoir ce qui tracasse réellement Mme Harrison. La vérité, c'est qu'elle est furieuse parce que je n'ai plus l'air d'une mocheté. Le problème n'a rien à voir avec Billy. Elle veut que je parte d'ici!

Gary la regarda avec arrogance.

– Mademoiselle Lorrimer, c'est moi qui décide des mouvements de mon personnel, vous semblez l'ignorer. Ni vous ni Mme Harrison n'avez voix au chapitre! répliqua-t-il. En tout cas, j'ai horreur des disputes à l'intérieur de mon agence. Arrangez-vous pour faire la paix avec Mme Harrison et à l'avenir évitez toute conversation personnelle avec Billy.

C'est injuste! rageait Samantha. Ses relations avec Billy étaient si innocentes qu'elle ne comprenait rien à cette flambée d'autorité – à moins, bien sûr, que Gary veuille lui interdire toute amitié au bureau.

Elle commençait à douter de ses résolutions : une carrière valait-elle vraiment tous ces soucis? Mais si on désire vraiment quelque chose, il faut lutter sur tous les fronts pour l'obtenir. Or, réussir dans le monde des affaires lui tenait à cœur. C'était même sa seule préoccupation – excepté Gary. Ils avaient beau se disputer à longueur de temps, c'était quand même lui qui pouvait lui apprendre son métier. Et pour le moment, elle ne devait penser qu'à son travail.

– Je tâcherai d'être aimable avec Mme Harrison, dit-elle enfin tout haut. Mais je n'ai pas l'impression que ça servira à grand-chose. Elle a un préjugé contre moi maintenant, quoi que je fasse. Quant à Billy, je lui parlerai en dehors des heures de bureau.

Gary acquiesça.

– Je vois que nous nous comprenons. Retournez à votre travail.

En sortant, elle sentit son regard lui vriller le dos, et rejoignit son bureau pour y trouver James Carson qui l'attendait. Il l'étudia un instant.

– Ma foi, je dois dire que le décor de cette usine s'améliore nettement. (Il lui fit un clin d'œil.) Savez-vous si Gary est libre pour déjeuner?

Samantha transmit le message par l'interphone et Gary apparut immédiatement.

– Bonjour, James! Je vous croyais en train de répéter. J'avais cru comprendre que le spectacle débutait à Boston le mois prochain.

– Oui, oui. Nous avons même encore quelques raccords à mettre au point avant d'affronter les critiques de New York. Mais aujourd'hui, la répétition est fixée à 14 heures. J'ai voulu en profiter pour régler quelques affaires, parce que je n'aurai plus le temps dès que j'aurai commencé à jouer.

Gary l'entraîna dans son bureau et Samantha reprit son classement, l'esprit encore troublé par les derniers événements. L'arrivée de Janet la fit sursauter.

– Qu'est-ce que tu fais là?

Janet lui adressa un sourire nonchalant.

– James m'a donné rendez-vous ici. Il m'emmène déjeuner avant la répétition.

– Tu es sûre? Il parlait de déjeuner avec Gary. Ecoute, assieds-toi, ils ne vont pas tarder.

Elles avaient à peine commencé à parler de théâtre et de comédiens que James apparut. Son visage s'éclaira.

– Janet! Comment faites-vous pour être plus ravissante chaque fois que je vous vois? J'ai l'habitude des jolies femmes, je crois, après toutes ces années passées à Hollywood. Mais je n'ai jamais rencontré un être comme vous.

Janet sourit.

– Merci. Je pense la même chose de vous. Mais Samantha n'est pas d'accord. Elle se tue à me mettre en garde contre vous, à cause de votre terrible réputation.

James se tourna vers Samantha.

– Ah! Je vois. Si je veux gagner le cœur de Janet, il faut que je commence par celui de Samantha. Eh bien, d'accord. Je vous invite à déjeuner.

Samantha secoua la tête.

– Non, James, je vous remercie, mais je ne peux pas. J'ai des tonnes de travail à terminer.

Gary venait d'entrer et James se tourna vers lui.

– Je ne savais pas que vous dirigiez un bagne, dit-il. Vous n'accordez même plus à votre esclave le temps de déjeuner?

Gary toisa Samantha avec dédain.

– Pourquoi? fit-il. Est-ce que Samantha s'est plainte? Elle est avertie depuis son entrée ici que nos horaires sont imprévisibles. Nous sommes souvent obligés de déjeuner d'un sandwich. En tout cas, je préférerais qu'elle m'adresse ses doléances à moi plutôt qu'à un client.

Nullement impressionné par la mauvaise humeur de Gary, James précisa :

– Vous vous trompez, mon cher. Samantha n'a pas exprimé la moindre plainte. C'est James Carson qui parle, personne d'autre. J'essayais seulement de vous faire un peu honte. Je voudrais que vous permettiez à Samantha de venir déjeuner avec nous aujourd'hui.

– Mais je ne vois aucune raison de l'en empêcher. Nous sommes à jour, et l'ordinateur a de quoi s'occuper.

– Eh bien, c'est réglé! s'écria James. J'invite tout

le monde, et tout de suite. Il ne s'agit pas que nous soyons en retard à la répétition, Janet et moi.

A contrecœur Samantha se joignit au trio et ils montèrent dans un taxi auquel James donna l'adresse d'un célèbre restaurant allemand de Manhattan. C'était un établissement ancien et très chic. De grands panneaux de chêne sombre lambrissaient les murs et une épaisse moquette rouge foncé tapissait le sol. L'éclairage tamisé donnait à la salle l'apparence d'une vieille bibliothèque de manoir.

James et Gary accueillis en habitués suivirent le maître d'hôtel vers un cabinet particulier, où il s'enquit aussitôt des moindres désirs du groupe. Le repas commença par une délicieuse terrine de foie gras; puis James commanda des escalopes viennoises arrosées de vin du Rhin et une délicieuse tourte aux fruits accompagnée de café très fort. Samantha se délectait.

A la sortie du restaurant, les acteurs sautèrent dans un taxi pour se rendre à leur répétition, abandonnant Gary et Samantha sur le trottoir.

Gary proposa :

– Il fait un temps splendide et nous avons beaucoup mangé. Que diriez-vous de rentrer au bureau à pied?

Samantha sourit.

– J'ai l'habitude de marcher, moi, je suis une fille de la campagne. Mais il est déjà plus de 2 heures, et cet exercice va nous prendre au moins une demi-heure. On va être en retard.

– Samantha, faut-il vous répéter que les horaires ne sont pas d'une telle rigidité? D'ailleurs, personne ne se permettra de critiquer votre absence puisque vous êtes avec moi.

Sa main descendit se poser sur la taille de Samantha le plus naturellement du monde.

– Je vois que vous avez de bonnes chaussures, plaisanta-t-il. Nous irons d'un bon pas.

Tout en parlant, il l'entraîna, resserrant son étreinte. Samantha se raidit légèrement. Quelles drôles de relations, songeait-elle. Gary la considérait tantôt comme une quantité négligeable, tantôt comme une dangereuse intrigante. Et sans prévenir, voilà qu'il la traitait en compagne agréable.

Ils traversèrent le parc de Washington Square. Sur une pelouse, un jeune homme barbu chantonnait une mélodie folklorique en s'accompagnant plaintivement à la guitare. Gary s'assit dans l'herbe et fit asseoir Samantha près de lui. La main sur ses cheveux, il attira doucement sa tête contre son épaule.

Le cœur de Samantha se mit à battre à coups précipités. Mais la voix douce et monotone du chanteur et les vapeurs du vin qu'elle venait de boire engourdirent toute son appréhension. Elle ne protesta pas lorsque Gary s'allongea sur le dos, l'obligeant à se blottir sur sa poitrine. Avec un involontaire soupir de satisfaction, elle se détendit, écoutant battre le cœur de Gary, tandis qu'il lui caressait doucement le bras.

Toutes ses défenses tombées, Samantha ne songeait plus à mettre en doute les intentions de Gary. Elle avait oublié Denise Gérard. Rien ne comptait plus que cette vague de bonheur qu'elle éprouvait, lovée contre lui. Elle y serait bien restée toute la vie. L'après-midi était paisible, le vin lui donnait un peu sommeil et, bientôt, elle sombra dans une douce inconscience.

Un mouvement la dérangea soudain. Elle tenta de s'enfouir dans son sommeil, dans son confort languide, et poussa un petit gémissement irrité en sentant qu'on la forçait à bouger.

Le coussin tiède sur lequel elle reposait avait

disparu. Elle était étendue à même l'herbe. Une grande main lui soutenait la nuque, des doigts habiles défaisaient son chignon et lui caressaient les cheveux.

Une bouche tendre effleura ses lèvres, puis ses paupières closes. Elle entrouvrit les yeux et distingua, à travers l'écran de ses cils, le visage impassible de Gary Talbott. Trop alanguie pour faire un mouvement, elle sentit que Gary se penchait sur elle, brouillant sa vision, et leurs lèvres se rencontrèrent de nouveau.

Elle répondit à ce baiser avec une ferveur rêveuse. La main qui caressait ses cheveux descendit sur son épaule, dégrafa le haut de son chemisier, s'aventura plus loin et se referma tendrement sur la rondeur de son sein.

Ce contact brûlant déclencha l'alarme dans la brume de son esprit. Elle se raidit, repoussa le corps de Gary, réussit à se dégager. Sous son regard perplexe, elle reboutonna son chemisier à petits gestes nerveux et bondit sur ses pieds, lissant sa jupe, et la débarrassant des brins d'herbe qui y étaient accrochés.

Le crépuscule envahissait le parc, Samantha jeta sur sa montre un coup d'œil horrifié.

– 5 heures et demie! Je me suis endormie. (Elle se mordit la lèvre.) Je suis désolée... Gary. On a parfois des réactions inattendues quand on dort. Ne m'en veuillez pas. Vous aurez sûrement du mal à me croire, mais je ne tiens en aucune façon à compromettre mon emploi.

Le ton impersonnel de Gary la glaça.

– Bien sûr, Samantha, répondit-il. Je comprends très bien. Votre carrière avant tout, n'est-ce pas? (Il la saisit brutalement par le poignet.) Il est trop tard pour retourner au bureau aujourd'hui. Je vais vous raccompagner chez vous, et je prendrai un taxi pour rentrer.

Samantha refusa d'un signe de tête.

– Je ne rentre pas chez moi. J'ai un cours, ce soir. L'Université n'est pas loin, je vais y aller à pied. Quelqu'un me prêtera bien son livre.

– Comme vous voudrez. Le cours finit à quelle heure?

– A 9 heures et demie environ. Pourquoi?

– Oh! pour savoir. A bientôt, Samantha.

Il s'éloigna sans un mot.

Comme toujours, le cours du soir ragaillardit Samantha. Elle venait de sortir et bavardait gaiement avec quelques camarades quand une voix familière l'appela. Gary l'attendait au coin de la rue.

– Gary, qu'est-ce que vous faites ici?

Les autres étudiants s'éloignèrent et Gary lui passa un bras autour des épaules.

– J'avais une affaire à régler au bureau, et j'y suis resté plus longtemps que prévu. J'ai pensé que je pouvais venir vous chercher pour vous reconduire chez vous, puisque j'étais encore dans le secteur.

Il ouvrit la portière de la voiture pour la faire monter et prit place au volant.

– Je voulais aussi m'excuser pour cet après-midi. Moi non plus, je ne veux pas gâcher la chance que nous avons de travailler ensemble.

Samantha poussa un soupir.

– Ne dites pas de bêtises. Ce n'est pas grave. J'ai déjà oublié.

– Vous m'en voyez heureux, Samantha, répondit Gary en souriant. C'est rassurant d'entendre des propos aussi raisonnables dans la bouche d'une femme. Je craignais de vous avoir effrayée, ou pire, d'avoir provoqué en vous un sentiment trop tendre à mon égard. Mais ce n'est pas le cas, n'est-ce pas?

Il la dévisageait, hésitant. Samantha détourna la tête afin qu'il ne puisse pas voir sa lèvre trembler.

– Non, bien sûr que non.

Gary eut un mouvement d'exaspération.

Ils effectuèrent le trajet jusqu'à l'immeuble de Samantha dans un silence total. Gary la quitta devant sa porte.

– A demain, Samantha, murmura-t-il.

Elle resta un instant sur le seuil, écoutant son pas décroître dans l'escalier. Il devait la trouver aussi insensible que lui, si différente de Denise Gérard, si douce et si aimante. Elle rougit en se rappelant leur après-midi dans le parc, et préféra ne pas penser à ce qui arriverait si une telle situation se reproduisait. Si elle était incapable de contrôler ses sens, la revanche de Gary serait complète. Son but atteint, il la rejetterait comme un jouet inutile. Et il retournerait dans les bras de Denise, tout heureux de sa victoire.

8

En arrivant à son travail, le lendemain, Samantha trouva l'agence bourrée d'inconnus, que les gardiens du service de sécurité s'efforçaient de repousser. Quand elle essaya de se renseigner, on lui tendit le dernier numéro d'un magazine féminin très connu.

Samantha courut se réfugier dans son bureau, soulagée d'échapper à l'agitation extérieure. Protégée par la porte fermée, elle s'intéressa à la couverture du magazine, là où, parmi celles de quelques autres hommes, elle vit la photo de Gary Talbott. Le titre disait : *Les dix célibataires les plus recherchés du monde.* Samantha ouvrit le magazine et le feuilleta impatiemment jusqu'à la page concernant Gary. On y donnait son âge, trente-cinq ans, ses caractéristiques physiques et sa biographie. Le portrait faisait de lui un homme d'affaires millionnaire, amateur de courses automobiles et de tennis, paré de toutes les qualités qui séduisent les femmes. On indiquait le nom de son agence et même son adresse personnelle.

Samantha était complètement absorbée par sa lecture quand la sonnerie du téléphone retentit. La voix furieuse de Gary explosa à son oreille.

– Vous avez vu cette saleté d'article?

– Oui, répondit-elle. Figurez-vous que je suis justement en train de le lire. Vous êtes devenu une célébrité, on dirait!

A l'autre bout du fil, Gary éclata.

– Ah non, je vous en prie, Samantha! Arrêtez de plaisanter. Mon appartement est assiégé par les reporters et par une armée de femmes qui se disent toutes le rêve du célibataire. Comment ça va, au bureau?

– Il y avait foule quand je suis arrivée, mais les gardiens sont en train de mettre bon ordre.

– La barbe! s'écria Gary. J'ai trop de choses à faire pour perdre mon temps avec une horde de femmes névrosées et de reporters collants comme des mouches. Ecoutez-moi bien, Samantha. Allez chez vous et mettez deux ou trois vêtements dans une valise. Nous allons partir quelques jours.

Samantha hésita.

– Partir? Où? Je ne comprends pas...

L'exaspération perça dans la voix de Gary.

– Allons, Samantha. J'ai eu ma part de femmes hystériques sur les bras, ce matin. Epargnez-moi votre crise. Je ne vous propose pas une fugue romantique. J'ai des tas de choses à régler, et je ne peux pas le faire ici. J'ai une maison à Long Island. Personne, ou presque, ne le sait et, Dieu merci, l'adresse n'a pas été donnée dans cet article scandaleux. Nous pourrons travailler tranquilles.

– Je ne peux pas partir avec vous, Gary. Ce n'est pas convenable. Vous imaginez les ragots...

– Vous savez, Samantha, vous êtes réellement incroyable. En ce moment même, une multitude de femmes piétinent derrière ma porte. Leur plus cher désir est de s'y retrouver seules avec moi. Et vous, ma secrétaire, quand je vous demande de m'accompagner, vous réagissez comme si vous alliez être enfermée avec Barbe-Bleue. Vous devriez pourtant savoir, maintenant, qu'il peut nous arriver n'importe quoi, même dans un parc public. Cela dit, je vous assure que je n'ai aucune intention malhonnête. Je veux que mon agence continue de fonctionner en attendant la fin de la tempête. Vous êtes ma secrétaire, j'ai besoin de vos services. Je suis tout à fait capable de vous résister, vous savez. A moins, bien sûr, que votre petite tête machiavélique n'espère exactement le contraire?

Samantha bouillait, mais elle préféra éviter d'envenimer la conversation.

– Non, vraiment, Gary. Je refuse absolument de passer plusieurs jours seule avec vous dans une cabane au bord d'une plage. Pourquoi n'emmenez-vous pas Mme Harrison?

– Mme Harrison doit rester à New York pour diriger l'agence. Du reste, nous ne serons pas seuls. Ma cuisinière et mon maître d'hôtel viennent avec nous. Vous voilà rassurée. Mais je trouve que vous avez l'esprit plutôt étroit, pour une femme libérée.

Samantha se réjouit que Gary ne puisse pas la voir rougir. Elle venait de se faire taper sur les doigts comme une gamine. D'une voix contrite, elle annonça qu'elle acceptait.

De l'autre côté de la ligne, Gary se mit à glousser.

– Samantha, vous m'étonnerez toujours. Allez vite faire votre valise. Je passerai vous prendre dans une heure. Attendez-moi devant l'immeuble. Nous n'avons pas une minute à perdre.

Une heure plus tard, Samantha et Gary roulaient dans les embouteillages de la ville vers l'autoroute menant à Long Island.

Un silence gêné s'était établi entre eux depuis leur départ. Ce fut Gary qui le rompit.

– Qu'est-ce qui vous rend si triste? demanda-t-il. Vous semblez à des lieues...

– Je pensais à la ferme de mon père. Je me demandais si j'avais eu raison en fin de compte de quitter mon village pour venir me perdre dans une ville aussi agitée que New York.

Il haussa les épaules.

– Vous m'avez dit que vous vouliez faire carrière dans le monde des finances. Il fallait bien venir à Wall Street. C'est là que les affaires se traitent.

Samantha hocha la tête.

– Oui, évidemment. Mais ce que j'aimerais, ce serait profiter à la fois de la vie new-yorkaise *et* de ma famille. C'est trop demander, bien sûr...

– Je ne sais pas, Samantha. Peut-être que vous n'êtes pas faite pour suivre obstinément une carrière? Vous en avez les capacités, j'en suis sûr, et vous réussirez si vous le décidez; mais êtes-vous vraiment prête à payer le prix? Vous savez, les hommes n'épousent pas une femme d'affaires. Ils préfèrent une compagne douce et accueillante, plutôt qu'une rivale trop dynamique.

Naturellement, songea Samantha. Denise Gérard, par exemple. Les filles de mon espèce sont amusantes de temps en temps, mais pour le mariage, les hommes préfèrent une femme au foyer qui lavera leurs chaussettes et élèvera leurs enfants. Une secrétaire accommodante au bureau, une tendre épouse au foyer : ils gagnent sur tous les tableaux. Mais les femmes doivent choisir, elles : ou l'amour, ou la carrière...

Elle se força à changer de conversation.

– Comment ont-ils réussi à publier cet article, Gary? D'où viennent leurs informations? Vous pourriez faire un procès, non?

– Ce serait inutile. Quand on est connu, il faut accepter que sa vie privée soit livrée au public. Je suis obligé de temps en temps de répondre aux reporters qui m'interrogent. Mais moi, ce n'est rien. A côté de James Carson, par exemple... Au fait, il semble très sérieusement attaché à votre amie. Qu'est-ce qu'elle en pense?

– Oh! Janet est une grande fille. Elle est tout à fait capable de mener sa barque.

Gary prit le temps de réfléchir avant de demander :

– Et vous, Samantha? En êtes-vous capable?

Sous son regard inquisiteur, Samantha s'agita nerveusement et détourna les yeux.

– Bien sûr. Vous devriez le savoir. Mes capacités ont même impressionné Mme Harrison – avant qu'elle ne soit choquée par mon déguisement.

– Je ne parlais pas de vos compétences de secrétaire; je parlais de vous en tant que femme. Quelquefois, j'ai le sentiment qu'en dépit de vos airs bravaches, vous n'êtes qu'une toute petite fille, au fond.

Cette remarque eut pour effet immédiat d'irriter Samantha.

– Eh bien, il va falloir réviser votre jugement. Evidemment je ne vaux pas Denise Gérard, mais ce n'est pas une raison pour me prendre pour une idiote.

– Loin de moi l'idée de vous prendre pour une idiote, protesta Gary. Mais vous êtes différente de Denise Gérard, ça, c'est certain.

Il resta silencieux. Samantha pensa qu'il devait établir une comparaison entre elle et Denise, et qu'il regrettait peut-être de n'avoir pas invité sa fiancée à ce voyage. Elle regretta sincèrement d'avoir cédé et accepté de l'accompagner. Elle se sentait trop troublée en sa présence. Tôt ou tard elle allait faire une erreur.

Gary sortit de ses pensées pour commenter le paysage.

– Etes-vous déjà venue à Long Island, Samantha?

– Non, pas encore. J'en suis toujours à explorer New York.

Il éclata de rire.

– C'est curieux, les gens de la campagne adorent la cité, et les gens de la cité meurent d'envie de vivre à la campagne. Toujours la même vieille histoire. On veut ce qu'on n'a pas. En tout cas, je crois que vous aimerez l'île, la proximité de l'océan. J'adore contempler cette étendue d'eau qui se perd à l'infini. Surtout par temps calme.

Son regard errait sur le corps de Samantha, un regard qui la mit mal à l'aise.

– C'est agréable d'imaginer quels trésors peuvent se dissimuler sous une eau paisible, poursuivit-il innocemment.

Samantha était furieuse. Il ne pouvait pas s'empêcher de se moquer d'elle. Impossible d'avoir une conversation civilisée avec lui. Elle n'était qu'un jouet. Elle se raidit sur son siège et ferma les yeux, jugeant que sa meilleure défense était encore de feindre le sommeil. Même Gary Talbott ne discuterait pas avec un interlocuteur endormi.

Quand elle reprit lentement conscience, la circulation avait considérablement diminué et les maisons, au bord de la route, s'espaçaient.

– Vous vous êtes bien reposée? demanda Gary. Vous avez évité la partie la moins intéressante du voyage. Autrefois, la région était entièrement boisée, mais l'immobilier l'a complètement envahie. Les constructions prolifèrent. Je n'envie pas les maris qui doivent passer des heures au volant pour offrir à leur femme et à leurs enfants un peu d'air frais.

– Vous, vous refuseriez de faire ce trajet tous les jours, si je comprends bien?

Gary fit la moue.

– C'est difficile à dire. Je n'ai encore jamais envisagé de fonder une famille, et je ne sais vraiment pas comment je vivrais, dans ce cas-là. Il me semble qu'on doit s'ennuyer loin de la cité. Je ne me vois pas trop en train de tondre le gazon, ou de jouer aux boules avec les voisins. Non, vraiment, je crois que je préfère la cité. Il faudra que ma femme apprenne à se plier aux exigences de la vie mondaine. (Il parut soudain irrité.) Mais pourquoi parlons-nous de ça? Je ne vois pas en quoi mon opinion vous regarde. Il me semble que nous dépassons le cadre de nos relations professionnelles?

– Oh! c'était seulement pour dire quelque chose.

– Comment donc! Je ne dois accorder aucune importance à votre curiosité, alors? (Une lueur malicieuse éclaira son regard.) Mais peut-être que vous rêvez de partager un petit cottage de banlieue avec moi?

– Oh là là! non! Nous ne sommes même pas capables de passer une heure en voiture sans nous disputer. Le mariage entre nous, ce serait une catastrophe!

Gary eut un sourire ravi.

– Qui parle de mariage? Vous en avez des idées! Je ne pensais qu'à la possibilité de vivre ensemble librement. Je n'arrive pas à croire qu'une jeune femme moderne comme vous en soit encore à parler de mariage – sans même faire un essai de vie commune avant. J'étais persuadé qu'il ne restait que quelques vieilles filles démodées pour avoir de tels principes...

Il la regarda à la dérobée, attendant manifestement une réaction qui ne vint pas. Samantha sombrait dans un silence morose. Pour rien au monde, elle n'aurait avoué à Gary que l'idée de vivre avec lui venait justement d'effleurer son esprit. Bêtement, d'ailleurs : ce n'était pas son genre. Ç'aurait été le comble de la dégradation; et lui, Gary, aurait trouvé son ultime revanche.

La voix de Gary interrompit ses réflexions.

– Eh bien, Samantha, vous ne dites rien? Que penseriez-vous de nous installer ensemble dans un gentil petit appartement non loin du bureau. J'y passerais la nuit chaque fois que j'en aurais envie. Nous pourrions même emporter du travail chez nous, en cas d'urgence. Bien entendu, celui de nous deux qui se lasserait le premier serait libre d'aller tenter sa chance ailleurs...

– Et Denise, qu'est-ce qu'elle devient dans votre petit arrangement? Vous auriez sa bénédiction?

– Aucun problème. Denise sait que je ne suis pas un ange. Elle fermerait les yeux, puisque notre liaison ne prêterait pas à conséquence. Vous savez, plus j'y pense, plus cette idée me plaît. Qu'en dites-vous, Samantha? Nous sommes deux adultes libres et normaux, capables d'entretenir des relations d'adultes. Qu'est-ce qui nous en empêche? Vous êtes plutôt séduisante, je trouve... différente de Denise, mais séduisante.

La comparaison fouetta l'orgueil de Samantha. En dépit de sa colère elle s'efforça de parler avec une désinvolture qu'elle était loin de ressentir.

– Vous avez le pouvoir de me ligoter à mon bureau, c'est entendu, mais ne comptez jamais faire de moi autre chose que votre secrétaire. Vous êtes plutôt brillant dans votre domaine, et je peux apprendre beaucoup à votre contact, mais c'est tout. Je ne vous aime pas, je n'aime pas non plus que vous m'embrassiez, pour être franche. Alors, cessez de prendre vos désirs pour des réalités.

Gary éclata de rire.

– Vous avez raison, Samantha. Ce serait idiot de gâcher notre entente au travail pour une banale aventure. Vous avez le don de m'amuser plus que n'importe quelle femme, et si vous deviez perdre votre esprit caustique, au profit de l'amour, j'en serais inconsolable.

– Ne vous inquiétez pas, répondit Samantha. Je ne risque rien de ce genre.

Elle avait lancé sa réponse comme un défi mais ce n'était qu'une apparence. En dépit d'elle-même, elle était tombée amoureuse de Gary Talbott, irrésistiblement, mais il n'était pas question qu'il le sache. Elle n'aurait pas été capable de supporter son triomphe.

Le paysage changeait encore, on voyait des propriétés de plus en plus vastes dans un décor boisé. Ils traversèrent un petit pont et Gary se détendit sur son siège.

– Dès qu'on quitte l'autoroute, ça va mieux. On va suivre maintenant une petite route. On va moins vite, mais c'est infiniment plus agréable. On se sent déjà à la campagne.

Ils traversèrent plusieurs villages dont les petits cottages alignaient des façades grises à force d'avoir été battus par le vent de l'océan. Quelques-uns étaient fraîchement repeints.

A Sag Harbor, Gary quitta l'avenue principale et s'engagea le long d'une voie privée, à travers un bois de pins, et ils débouchèrent sur une plage de sable fin. Tout au bout, Samantha aperçut une grande maison basse au toit de cèdre. Gary rangea la voiture dans le garage attenant et ils entrèrent dans la maison, où ils furent accueillis par Terrance, le maître d'hôtel, et Martha, la cuisinière. Un arôme savoureux parvenait de la cuisine.

Gary s'épanouit.

– Ah! Martha est en train de nous préparer une bouillabaisse. Vous allez m'en dire des nouvelles.

Il remit les bagages à Terrance et conduisit Samantha dans sa bibliothèque. Seule exception dans la maison qui dégageait un air de vacances avec ses grandes pièces claires meublées d'osier, la bibliothèque constituait une réplique du bureau new yorkais de Gary. Des rangées d'ouvrages techniques tapissaient les murs et un télé-imprimeur électronique occupait un grand bureau de noyer.

Gary sortit ses dossiers de son attaché-case, et demanda à Samantha de lui appeler Mme Harrison au téléphone. En attendant il enfonça plusieurs touches sur le télé-imprimeur, et commença de noter les prix des valeurs au fur et à mesure qu'ils apparaissaient sur l'écran, pendant que Samantha échangeait quelques banalités prudentes avec Mme Harrison. Elle lui passa la communication et elle entendit Gary donner la consigne formelle de garder secret le numéro de téléphone de la villa.

Mais la conversation ne s'arrêtait pas. Mme Harrison parlait à l'autre bout du fil et, soudain, Gary s'impatienta.

– Qu'est-ce que je peux faire pour m'en débarrasser?... Ecoutez, d'accord, s'ils veulent annoncer que je suis fiancé à Denise Gérard, laissez dire. Ils me ficheront peut-être la paix.

Il raccrocha l'appareil avec un geste de colère.

Le cœur de Samantha s'arrêta de battre. Elle crut défaillir: Gary admettait clairement qu'il allait épouser Denise. Elle se mordit la lèvre et détourna la tête pour cacher les larmes qui affluaient. Ce qu'elle craignait le plus au monde venait d'arriver.

Le reste de la journée se passa exactement comme au bureau, et Samantha, débordée de travail, en oublia le décor qui l'entourait.

Au dîner, la bouillabaisse que Martha avait préparée répondit somptueusement aux prédictions de Gary. Des morceaux de langouste et des filets de poisson nageaient dans un délicieux bouillon au safran, accompagné de croûtons au fromage. Ils terminèrent leur repas avec des fruits.

Après le café, Samantha déclara :

– Quel régal! J'ai trop mangé, je n'ai plus qu'à aller m'effondrer sur mon lit.

– Sûrement pas, dit Gary en souriant. Ici, la tradition veut qu'on fasse un peu d'exercice après dîner en se promenant le long de la plage. Mettez un pull. L'air marin est frais le soir.

Gary prit un anorak qu'il jeta négligemment sur une épaule et, pieds nus, ils coururent main dans la main vers l'océan. Le crépuscule tombait sur le rivage paisible et Samantha eut la sensation que la sérénité de l'océan se communiquait à ses membres engourdis.

Gary se laissa tomber sur le sable, face à l'eau.

– C'est le moment que je préfère, quand le soleil disparaît dans l'eau.

Il attira doucement Samantha, et la fit asseoir contre lui. D'un mouvement plein de naturel il courba la tête de Samantha contre son épaule et elle se laissa faire. La douceur du moment la ravissait, blottie dans les bras de Gary et contemplant le lumineux coucher de soleil.

Les derniers rayons disparurent. Samantha frissonna, brusquement mal à l'aise : une fois de plus elle s'était abandonnée contrairement à ses affirmations de l'après-midi. Elle avait intérêt à se ressaisir au plus tôt.

– Je crois que nous devrions rentrer, dit-elle.

– Pas encore... Attendez la fin du spectacle. Les étoiles vont apparaître et vous allez voir la lune se réfléchir sur l'eau. C'est inoubliable.

N'écoutant plus ses craintes, Samantha se rapprocha de lui. Le ciel commençait à briller d'étoiles et la lune jeta son éclat sur la terre et les eaux. Le décor était grandiose. Samantha tourna vers Gary des yeux émerveillés.

Il la regardait déjà. Imperceptiblement, son bras monta autour de ses épaules et il l'obligea à s'allonger sur le sable. Ses lèvres se posèrent sur la bouche de Samantha qui s'ouvrait pour protester. Aussitôt soumise à la tendresse de son baiser, elle le laissa caresser ses cheveux. Les lèvres de Gary effleurèrent son oreille, il la mordilla gentiment. Son souffle lui brûla le cou, la gorge...

Elle eut un gémissement étouffé, totalement désemparée. La main de Gary se posa sur sa hanche, remonta vers sa poitrine, caressa doucement ses seins. Il murmura d'une voix rauque :

– Samantha, je veux que vous soyez toute à moi...

Ses mots atteignirent Samantha comme un rêve. Ils n'exprimaient pas l'amour, rien que le désir. Jamais Gary ne lui avait dit qu'il l'aimait. Qu'il la désirât, toute la force virile de son corps le proclamait sans doute possible. Elle avait encore assez de lucidité pour s'épargner une folie qu'elle regretterait toujours. Elle posa ses mains contre la poitrine de Gary et le repoussa.

– Vous aviez promis de ne pas me toucher. Laissez-moi partir... Je vous en prie, je n'en peux plus.

Gary se redressa.

– A quoi ça sert de lutter, Samantha? Vous me repoussez, mais vous en brûlez d'envie autant que moi.

Samantha cria d'une voix suraiguë :

– Je ne suis pas un jouet! Je suis un être humain, je suis libre de choisir qui je veux. Laissez-moi en paix, une fois pour toutes!

Elle courut vers la maison et monta s'enfermer dans sa chambre.

Adossée contre la porte, le cœur battant à coups redoublés, elle tenta de retrouver son souffle.

Le pas de Gary retentit dans l'escalier. Il vint frapper timidement à sa porte.

– Samantha, laissez-moi vous parler.

Samantha étouffait, la poitrine prise dans un étau. Elle réussit à articuler :

– Je n'ai rien à vous dire. Partez.

Elle ferma les yeux et serra les poings le plus fort qu'elle put. Puis la voix de Gary lui parvint de nouveau, douce et bien contrôlée.

– D'accord, Samantha. Reposez-vous. Nous parlerons demain.

Elle l'entendit entrer dans sa propre chambre.

Alors ses forces l'abandonnèrent. Son corps se mit à trembler et elle se couvrit le visage de ses mains.

Toute la nuit, elle se retourna dans son lit, incapable de fermer l'œil. Aux premières lueurs de l'aube, elle se leva, prit sa valise et se glissa silencieusement dehors. A pied, elle rejoignit le village de Sag Harbor et monta dans le premier car en partance pour New York.

9

Dans le vent d'octobre, les grands chênes perdaient leurs feuilles colorées par l'été indien – ce bienfaisant répit de tiédeur avant le grand froid de l'hiver.

Assise au bord du lac, Samantha avait tout l'air d'une petite fille sage, avec ses cheveux soyeux maintenus en arrière par un ruban de satin bleu assorti à la couleur de ses yeux. Le dos appuyé contre le tronc d'un grand chêne, elle mordillait pensivement un brin d'herbe en contemplant l'eau tranquille. Tout était si paisible, dans ce bois, qu'elle imaginait mal l'enfer qu'elle venait de vivre quelques semaines auparavant.

De retour à Greenwich Village après sa fuite de la villa, elle avait pris le parti d'abandonner. La présence de Gary était une contrainte trop dure à supporter. Devant une Janet complètement ébahie et qui n'obtenait d'elle aucune explication, elle avait fait ses valises pour rentrer chez ses parents, en promettant, contre toute vraisemblance, de revenir bientôt.

Sa lettre de démission postée, Samantha avait refusé de répondre aux coups de téléphone de Gary. Et maintenant, elle était à l'abri dans cette petite ville de la Nouvelle-Angleterre où vivaient ses parents.

L'air frais de la campagne lui faisait du bien et elle n'éprouvait aucun besoin de retourner à New York, pour la plus grande joie de ses parents qui n'avaient pas été très heureux de la savoir seule dans la grande ville. Ils la voyaient déjà mariée à quelque beau parti des environs et installée dans une ferme proche, fous de joie à l'idée d'avoir bientôt une tribu de petits-enfants pour égayer leurs vieux jours.

Elle avait trouvé un emploi dans la banque locale. Le vieux M. Hardings, son directeur, était impressionné par son flair en matière de finance et Ken Hardings, le fils, s'intéressait manifestement à elle. Au moindre signe d'encouragement il était prêt à l'épouser, mais elle en était incapable. Même si Gary la considérait comme une poupée et un objet d'amusement, il savait faire battre son cœur. Pas Ken.

Elle ne retournerait pas à New York. Gary l'empêcherait d'obtenir un autre emploi. Il l'avait juré. Peut-être avait-il raison, au fond; peut-être n'était-elle pas destinée à faire une carrière.

Derrière elle, un léger bruissement de feuilles trahit une présence dans la forêt : un faon peut-être, ou un écureuil...

Elle se retourna. Gary Talbott était en train de l'observer.

Elle poussa une exclamation de colère.

– Vous... Qu'est-ce que vous faites ici? Vous êtes dans une propriété privée. Je ne suis plus votre employée, et je n'ai pas à subir votre compagnie!

Elle voulut se lever, mais Gary l'en empêcha d'une main puissante.

– Restez assise! cria-t-il. Vous ne changez pas, décidément! Je ne vais pas vous mordre. Essayez de vous conduire en civilisée, pour une fois. Je n'ai pas envie de me disputer.

Samantha ne l'écoutait pas.

– Je me moque de la politesse. Je ne veux rien avoir à faire avec vous. Vous m'avez obligée à quitter New York, mon travail, mon avenir. Ça ne suffit pas? Vous ne pourrez pas trouver meilleure punition. Alors, considérons que l'affaire est réglée.

– C'est exactement mon avis, Samantha. J'ai décidé de vous pardonner votre escapade, et je suis ici pour recevoir vos excuses.

Samantha bondit sur ses pieds.

– Mes excuses? Vous plaisantez ou quoi? Vous multipliez les tracasseries, vous gâchez complètement tous mes espoirs, toute mon existence, vous me poursuivez jusque chez moi, et vous me demandez des excuses! Ma parole, vous pourrez toujours attendre!

Gary la força à se rasseoir.

– Arrêtez, Samantha. Vous êtes très douée pour les scènes dramatiques, mais ça suffit. D'abord, je ne vous ai pas suivie jusqu'ici. Il se trouve que je suis dans la région depuis dix jours, pour un séminaire d'économie. Vous ignorez aussi que le grand prix automobile des Etats-Unis se déroule en ce moment même à quelques kilomètres de chez vous. Ce sont là deux bonnes raisons qui expliquent ma présence. C'est Janet qui m'a demandé de profiter de mon passage pour venir voir comment vous alliez. Votre maman m'a dit que vous étiez dans les bois. Voilà. Maintenant, est-ce que nous pouvons parler sérieusement?

Les idées de Samantha se bousculaient dans sa tête. Il était donc là, en toute amitié, pour faire plaisir à Janet. Sa réaction lui parut soudain complètement infantile. Après tout, Gary ignorait l'amour qu'elle lui portait, il ne savait rien de son trouble intime.

– C'est très gentil à vous d'être venu, Gary. Mais nous nous sommes disputés si souvent que nos rapports me semblent complètement faussés. Excusez-moi. Comment va Janet? Je ne sais plus ce qu'elle devient.

– J'ai justement l'intention de vous en parler. Leur affaire est très sérieuse, au point qu'elle parle de mariage. En tout cas, Janet voudrait rendre l'appartement – à moins que vous n'ayez besoin de le garder pour vous.

La nouvelle ne surprit pas Samantha.

– Vous voyez, vous vous êtes trompé à propos de James, Gary, vous qui le présentiez comme le plus volage des don Juan.

Gary protesta :

– Je n'ai jamais dit ça. Mais reconnaissez que Janet a su l'apprivoiser.

Samantha eut un sourire triste.

– Je suis heureuse pour elle. Je sais qu'elle aime James. Quoi que vous en disiez, moi je les trouve adorables tous les deux.

Gary fronça pensivement les sourcils.

– James ne s'est pas montré trop adorable avec moi, ces temps derniers. Il me reproche d'être dur envers vous et de vous empêcher de trouver une autre place. Il a fallu que je jure le contraire. Si vous voulez, tenez, vous pouvez même reprendre votre travail chez moi. Je vous promets de ne plus vous faire d'ennuis.

Samantha était en fureur. Ses yeux étincelaient.

– Ah, c'est comme ça! Vous empoisonnez mon existence, vous m'obligez à rentrer chez mes parents – et sur une simple parole d'un client, vous venez m'annoncer que vous n'attendez que moi au bureau! Jamais de la vie, vous entendez? Nous ne sommes peut-être pas à Wall Street, mais ici, les gens me respectent!

Gary la saisit rudement par les épaules.

– Vous voilà encore sur vos grands chevaux! Vous n'avez pas écouté un mot de ce que j'ai dit! *Personne* ne me dicte ma conduite, figurez-vous, même un bon client. Je fais ce que je veux, tout seul. Je fais un effort pour être aimable avec vous, mais votre pauvre cervelle ne peut rien y comprendre. Votre entêtement me dépasse. Vous êtes la femme la plus impossible que j'aie jamais rencontrée.

Samantha le défia.

– Eh bien, oubliez-moi! Au moins j'aurai la paix.

Pour toute réponse, Gary l'emprisonna brusquement dans une étreinte brutale. Au fond de ses yeux gris chargés de colère, elle vit passer une lueur étrange, un voile de tendresse imperceptible. Sa voix était rauque, comme étouffée.

– Je ne demande qu'à vous laisser en paix. Mais je ne peux pas. Quand vous n'êtes pas là, je m'ennuie de vous. Quand vous êtes près de moi, j'ai envie de vous caresser. Vous ne m'échapperez pas. Partout où vous irez, je vous retrouverai.

Sa bouche se posa sur celle de Samantha, l'enflammant sous la torture exquise de son baiser. Ses doigts glissèrent le long de son dos, et lui caressèrent doucement la peau.

Tendue à craquer, Samantha sentit toute volonté la quitter. D'elles-mêmes ses mains s'élevèrent et lui entourèrent doucement le visage, pour le rapprocher d'elle. L'émotion la submergeait.

La bouche de Gary était tendre. Elle effleura son visage de baisers rapides, descendit sur son cou, vers la douce vallée de ses seins, où il prit une profonde inspiration, comme s'il voulait absorber tout l'amour qu'elle avait dans le cœur. Elle se sentit soulevée avec légèreté, allongée sur un lit de feuilles mortes, au pied du chêne, et Gary pesait sur elle de tout son poids, lui caressant les cheveux.

– Samantha, nous ne pouvons pas continuer à lutter contre nos sentiments. Nos désirs sont les mêmes.

La chaleur qui embrasait son regard figea le cœur de Samantha. Seul, le corps de Gary parlait. Il avait besoin d'elle pour assouvir son impatience érotique. Une fois apaisé, il pourrait épouser Denise, sans arrière-pensée, et lui réserver la tendresse et le respect que mérite une épouse.

Cette pensée la réveilla. Elle se débattit, donna des coups de pied, martela sa poitrine. Totalement pris au dépourvu par son changement d'attitude, Gary ne sut pas se défendre et elle se retrouva libre, debout, méprisante. Gary semblait abasourdi, en plein désarroi.

Par crainte de se laisser attendrir devant son air malheureux, et par honte de son propre trouble, Samantha attaqua :

– Je vous hais. Vous n'êtes pas mieux que tous ces types. Je suis un jouet pour vous, une poupée! Des jouets, vous en avez des tas. Retournez à vos voitures et à vos machines électroniques, je ne veux plus jamais vous revoir! Vous me dégoûtez, Gary Talbott!

Elle s'éloigna en courant, les larmes ruisselant sur ses joues.

Sa mère la vit passer comme une flèche dans la maison. Elle eut à peine le temps de lui demander si le jeune homme venu de New York avait réussi à la trouver. Samantha hocha la tête sans s'arrêter et courut s'enfermer dans sa chambre, le cœur battant, la respiration saccadée.

Elle s'était un peu calmée, lorsqu'elle entendit une voiture démarrer. Par la fenêtre elle vit la Jaguar de Gary qui s'éloignait. Son réflexe fut d'abord de le rappeler... de sentir encore ses mains sur son corps, même si elle devait le payer cher... Mais sa raison l'emporta. Elle ne bougea pas.

Les quelques semaines qui suivirent s'écoulèrent sans surprise. Samantha confirmait la bonne impression qu'elle avait faite sur ses collègues à la banque, et M. Hardings paraissait de plus en plus ravi de voir l'intérêt de son fils Ken se développer de jour en jour pour elle. Mais Samantha était incapable de tout sentiment. Gary Talbott n'avait peut-être pas obtenu ce qu'il voulait d'elle, mais elle lui avait laissé son cœur.

A Boston et à Philadelphie la pièce de James avait eu un succès exceptionnel. Janet apparaissait comme une future star de Broadway. Samantha se réjouit réellement lorsqu'elle reçut un petit mot bref l'invitant à assister au mariage de Janet et de James, deux semaines avant la première de la pièce à Broadway.

Mais sa joie ne dura pas longtemps. A coup sûr, Gary Talbott serait à la réception – accompagné certainement de Denise Gérard. Elle hésita longtemps, mais finit par décider que son amitié pour Janét comptait davantage que Gary Talbott; il ne méritait pas qu'elle se prive du plaisir d'assister au mariage de son amie.

Elle préféra partir pour New York en voiture, parce qu'elle emportait des tonnes de cadeaux. Après un voyage de quatre heures et demie, elle retrouva la grande cité.

Janet s'était installée à l'hôtel où la cérémonie aurait lieu et Samantha eut donc tout l'appartement de Greenwich Village à sa disposition. Elle commença par prendre un bain prolongé pour se détendre et prépara la robe qu'elle avait trouvée quelques mois plus tôt, un jour de shopping avec Janet.

C'était une toilette très coûteuse que Janet l'avait convaincue, non sans mal, de s'acheter.

C'était une souple tunique de soie noire, soutenue par deux larges épaulettes, légèrement resserrée à la taille, et tombant en plis fluides sur les chevilles. Elle moulait le corps de Samantha, comme si elle avait été faite exprès pour elle.

En s'examinant dans le miroir, Samantha remercia intérieurement Janet d'avoir tant insisté pour lui faire faire cette folie. Elle ne détonnerait pas parmi les actrices les plus sophistiquées que son amie fréquentait. Des sandales noires à hauts talons soulignaient le galbe de ses jambes, que découvrait une longue fente sur le côté de la robe. Elle choisit comme bijoux une simple chaîne d'or autour du cou, et une gourmette d'or au poignet. Ses cheveux dorés tombaient librement sur ses épaules et l'éclat de son visage ne devait rien aux artifices.

Elle jeta une cape de velours sur ses épaules et descendit attendre le taxi qu'elle avait appelé.

La réception était très animée. Samantha tenta de se frayer un chemin à travers la foule des invités, et de repérer Janet et James. Elle finit par apercevoir Janet qui se précipita vers elle et l'embrassa très chaleureusement.

– Oh! Sam, que je suis contente que tu sois venue! Tu m'as beaucoup manqué, tu sais.

Derrière elles, une voix masculine fit écho.

– Ça c'est vrai! Vous lui avez tellement manqué qu'il lui a fallu tout de suite quelqu'un d'autre pour remplacer votre compagnie!

James approchait, un sourire aux lèvres. Il entoura d'un bras possessif la taille fine de Janet.

– Oh là là! reprit-il. Qui est cette créature de rêve? Janet, avoue que tu me l'avais cachée jusqu'à aujourd'hui parce que tu avais peur que je change d'avis.

Janet lui répondit par un petit coup de coude dans les côtes.

– Tais-toi, James. Si tu commences à taquiner Samantha, tu vas la faire fuir. Elle a déjà l'air bien assez nerveuse.

– Bien sûr, ma chérie. Je n'ai pas l'intention de gâcher la soirée de mes noces. Il faut avouer, Samantha, que vous êtes ravissante. Malheureusement, ma vie sentimentale vient de prendre un tournant décisif. Il faut se faire une raison : je ne suis plus libre. Remarquez que je peux toujours vous trouver un compagnon...

– Je vous remercie, James. Je me sens très bien toute seule. D'ailleurs, tout le monde ne m'est pas inconnu ici, vous savez.

Elle parcourut quelques groupes avant de rencontrer la mère de Janet. Elles bavardaient tranquillement lorsque Samantha suspendit sa phrase d'un seul coup : Gary Talbott était à l'autre bout de la pièce.

Un cocktail dans sa main bronzée, il s'appuyait négligemment contre la cheminée. Son smoking sombre, d'une coupe raffinée, accentuait sa force et sa masculinité. Une fois de plus, Samantha fut décontenancée par l'effet que lui produisait sa présence. Il ne lui aurait fait qu'un sourire qu'elle se serait aussitôt jetée dans ses bras, le suppliant d'accepter son amour. Mais il la toisa d'un air désapprobateur, et se tourna vers quelqu'un qui lui adressait la parole.

Denise n'était pas avec lui. Samantha s'en étonna. Il était donc venu seul? Elle inspecta soigneusement l'assistance mais ne repéra Denise nulle part. Perplexe, elle suivit le flot des invités vers la pièce où le mariage allait être célébré.

Pendant toute la cérémonie, les yeux de Gary ne la quittèrent pas, pas plus qu'au cours de la petite fête qui suivit. Son visage était sombre, fermé. Samantha croisa une ou deux fois ce regard lourd qui pesait sur elle, et elle en conclut amèrement qu'il ne cesserait jamais de la détester.

Elle devait bien se rendre à l'évidence : l'amour comptait davantage pour elle que n'importe quelle carrière – l'amour de Gary, le seul, l'unique. Mais il la méprisait, il allait épouser Denise, et il ne lui resterait que son travail à la banque, dans la petite ville de son enfance. Son avenir était tracé.

Janet et James firent des adieux discrets avant de partir pour une courte lune de miel dans les monts Ozark. Un inconnu un peu excité s'en était pris à Samantha qui commençait à s'exaspérer de ses avances. Une voix familière résonna derrière elle.

– Ça va, Jeffers. Mlle Lorrimer est avec moi.

L'homme ferma ses doigts sur le poignet de Samantha.

– Ah non, Talbott. Je l'ai trouvée avant vous. Trouvez-vous une autre pépée...

Il n'avait pas fini sa phrase que Gary l'agrippait à la gorge. L'autre réussit à se dégager et battit précipitamment en retraite, bousculant Samantha qui tomba en arrière. Sa tête heurta le pied d'un meuble.

Gary s'empressa de la relever et la douleur sourde qui lui taraudait le crâne l'empêcha de protester aussi énergiquement qu'elle l'aurait souhaité.

– Vous n'avez pas besoin de vous occuper de moi. Je ne travaille plus pour vous. Laissez-moi tranquille.

Gary leva les yeux au ciel.

– Taisez-vous, vous n'êtes pas en état de discuter. Qu'est-ce qui vous prend, enfin? Vous arrivez ici habillée en Mata-Hari. Ensuite, vous vous laissez embobiner par ce minable. Qu'est-ce qui serait arrivé si je n'avais pas été là?

– Rien du tout! Je suis parfaitement capable de me défendre. Mais vous ne pouvez pas supporter l'idée qu'un homme me trouve autant de charme que votre Denise!

– Laissez donc Denise tranquille! dit Gary.

Il l'avait entraînée hors de l'hôtel, dans le parking où sa voiture était rangée. Il installa Samantha sur le siège avant, et là, les effets du champagne et de sa chute se combinant, elle plongea dans un profond sommeil.

Quand elle s'éveilla, le lendemain matin, elle eut l'impression que sa tête allait éclater et qu'elle avait la bouche pleine de coton. Le faible rai de lumière qui passait à travers la fenêtre lui fit tellement mal aux yeux qu'elle se couvrit le visage. Peu à peu, sa conscience l'avertit qu'elle n'était pas dans son appartement de Greenwich Village. La chambre où elle se trouvait avait quelque chose de typiquement masculin. Ses murs étaient tapissés de tissu beige, le sol recouvert d'une épaisse moquette tête-de-nègre. Des écrans de bambou masquaient les fenêtres. Tout était élégant et simple.

Lentement, les événements de la veille lui revinrent en mémoire. Elle se rappela qu'elle était montée dans la voiture de Gary, puis plus rien.

Sa robe du soir et sa cape étaient étendues sur une chaise proche. Elle n'avait sur elle que ses légers sous-vêtements. Elle frissonna et tenta de se lever, mais une douleur fulgurante à la tête l'obligea à se recoucher. Elle devait quitter cette chambre, mais elle avait trop mal pour bouger. Elle poussa un gémissement et ferma les yeux.

La porte s'ouvrit doucement. Quelqu'un traversait

la pièce d'un pas léger et s'arrêtait au pied de son lit. Elle entrouvrit ses paupières et vit Gary Talbott penché sur elle, l'air troublé. Elle essaya de se redresser. Gary lui fit un sourire.

– Vous êtes toujours vivante, tant mieux. Comment vous sentez-vous?

– Affreusement mal, souffla-t-elle.

Gary hocha la tête avec compassion.

– Ça ne m'étonne pas, vu la bosse que vous avez sur le crâne. Dieu merci, ce n'est pas grave, le docteur affirme qu'il suffira de quelques heures de repos pour vous remettre à neuf. Il vous a examinée hier soir, mais vous ne vous êtes même pas réveillée.

Elle balbutia :

– Je vais mourir?

Il éclata de rire.

– Non, pas encore. Demain, vous serez même ressuscitée. En attendant, dormez, c'est le meilleur remède. Vous vous êtes évanouie dans la voiture. Je vous ai emmenée chez moi, j'ai appelé le docteur et je vous ai mise au lit. Pardonnez-moi de vous avoir ôté vos vêtements de sirène, mais c'était préférable.

– C'est vous qui m'avez déshabillée?

Son rire résonna de nouveau.

– Ne faites pas cette tête, Samantha! Figurez-vous que je sais comment est faite une femme. Votre vertu n'a rien à craindre. Allez, dormez; vous n'êtes pas en état de bavarder. Je reviendrai vous voir plus tard.

Il referma la porte sans bruit, et Samantha se laissa glisser dans le sommeil. Quand elle s'éveilla, le crépuscule tombait déjà. Ses vêtements n'étaient plus sur la chaise. A leur place, Gary Talbott, assis, l'observait avec attention.

– Vous avez dormi toute la journée. Comment ça va, maintenant?

Samantha bougea lentement la tête dans tous les sens et se redressa sur le lit en ramenant le drap contre sa poitrine.

– J'ai l'impression que ça va mieux.

Après un silence, elle ajouta à contrecœur:

– Merci. Vous m'avez bien soignée. Mais je ne veux pas vous imposer davantage ma présence. Si vous aviez l'amabilité de me rendre mes vêtements et de sortir un instant, je pourrais me rhabiller et rentrer chez moi.

Gary s'approcha du lit en la dévisageant d'un regard intense. Il portait un pantalon de pyjama de soie noire et sa poitrine était nue. Le cœur de Samantha se mit à cogner dans sa poitrine.

– Pas maintenant, dit-il. Il fait déjà presque nuit, vous n'allez pas déambuler toute seule dans Manhattan en robe du soir. Passez la nuit ici. Je vous reconduirai chez vous demain matin... Si vous y tenez toujours, ajouta-t-il avec cynisme.

Samantha se sentit perdre pied. Elle bouchonna d'une main tremblante le drap sous son menton.

– Je vous en prie, Gary, supplia-t-elle. Laissez-moi rentrer chez moi. Je ne veux plus discuter avec vous.

Gary lui prit le visage entre ses mains. Leurs yeux se rencontrèrent.

– Arrêtez la première de discuter. J'ai toujours espéré que vous cesseriez enfin de vous battre contre moi, contre vous-même – j'espérais même que vous commenceriez à m'aimer.

Il se glissa sous les draps et attira le corps de Samantha contre son corps brûlant. Elle tenta de se dégager.

– Ne me touchez pas. Je vous en prie, ne me touchez pas!

Mais il resserra son étreinte et l'allongea doucement.

– Vous demandez l'impossible. C'est plus fort que moi.

Comme pour confirmer son aveu, ses doigts commencèrent à lui caresser la joue, le cou, gagnèrent la courbe d'un sein.

– Gary...

La protestation de Samantha s'étouffa dans sa gorge. Elle ne savait plus ce qu'elle voulait. Gary, lui, savait. Sa bouche se posa sur celle de Samantha et la fit taire. Ses mains se glissèrent derrière son dos, détachèrent son soutien-gorge. Elle sentit sa poitrine dure écraser ses seins nus.

Le choc de ce contact lui rendit un semblant de raison. Une fois encore, elle tenta de le repousser sans succès. Il se redressa, ses yeux parcoururent son corps et il se mit à la caresser tendrement, intimement. Samantha éclata alors en sanglots convulsifs, qui firent à Gary l'impression d'une douche froide.

– Samantha, mon amour, qu'est-ce que vous avez? Est-ce que j'arriverai un jour à vous comprendre?

– Vous m'avez tout pris – ma carrière, mon orgueil, mon amour. Et maintenant, vous disposez de mon corps.

Gary sourit, se pencha vers elle pour embrasser sa poitrine tout doucement. En même temps, il chuchotait contre sa peau :

– Vous avez raison, ma chérie. Je vous veux tout entière. Je veux vous connaître par cœur. (Il chercha ses yeux.) Connaître votre esprit aussi bien que votre corps. Plus de secret – plus de déguisement – plus de barrière entre nous.

Ses doigts glissèrent le long de sa hanche, s'avancèrent hardiment. Samantha arrêta son geste.

– Gary, ne faites pas cela. (Elle se cacha la tête dans l'oreiller.) Je veux rentrer chez moi, Gary. Je ne peux pas rester ici... pas maintenant... Je vous aime trop... Je ne veux pas me contenter d'une étreinte d'un soir, je ne veux pas vous voir retourner après dans les bras de Denise.

Gary la saisit par les épaules, l'obligea à le regarder.

– C'est donc ça, petite folle? Est-ce que vous croyez que je vous poursuis depuis si longtemps pour si peu? Ce que vous ignorez, c'est que je suis ensorcelé depuis la première minute, depuis que nous nous sommes heurtés dans Wall Street.

Samantha était tellement effarée qu'elle ne trouvait rien à répondre.

– Vos yeux bleus étaient inoubliables, continuait-il. Même votre affreux déguisement ne pouvait me tromper. J'ai cru devenir fou à fréquenter une femme habillée en sergent-major. Heureusement qu'il y a eu cette panne d'électricité qui vous a forcée à vous démasquer. Ce soir-là, j'ai compris que j'avais rencontré la femme que je cherchais. Je ne pouvais plus l'oublier. Mais vous étiez tellement en colère – tellement agressive avec moi! Il fallait que je vous garde par tous les moyens, y compris la menace.

Il caressa les cheveux de Samantha, les ramenant doucement sur ses épaules.

– Je veux vous épouser, reprit-il. Il faut que vous renonciez à être une femme libre. Après tout, je ne suis plus un homme libre moi, depuis que je vous ai vue pour la première fois.

Samantha était à peine consciente de ce qu'elle venait d'entendre.

– M'épouser? balbutia-t-elle. Mais vous avez annoncé publiquement vos fiançailles avec Denise.

Gary gloussa comiquement.

– Denise est une mondaine frivole. Nos rapports

n'étaient que des rapports de convenance. Je ne l'ai plus revue depuis la nuit où je suis revenu vous chercher au bureau. Je ne lui ai jamais dit que je l'aimais. Je ne lui ai jamais demandé de m'épouser. J'ai laissé croire à ce magazine que nous étions fiancés, parce que c'était le moyen le plus simple de me débarrasser des gêneurs. Mais je ne vous ai jamais dit non plus que je vous aimais, parce que j'avais peur de vous effrayer. Chaque fois que je faisais un pas vers vous, vous sautiez au plafond. Seulement, maintenant, je suis rassuré.

Samantha haussa les sourcils.

– Oui, oui. Figurez-vous que vous parlez dans votre sommeil. J'ai découvert la véritable Samantha, celle qui sera ma femme, la mère de mes enfants, et qui vieillira près de moi. Je vous aime, Samantha, je veux vous épouser. Est-ce que cette carrière vous convient?

Samantha se jeta dans ses bras et enfouit sa tête contre son cou.

– Oh! Gary, mille fois oui! Moi aussi, je vous ai aimé... dès que je vous ai vu dans votre bureau. Mais j'étais prisonnière de mon déguisement. Après, j'ai cru que vous ne me pardonneriez jamais ma supercherie. Et quand Denise m'a avertie que vous étiez amoureux d'elle, j'ai perdu tout espoir.

Gary lui redressa doucement le menton.

– Je suis fou de vous. Je n'imagine pas la vie sans vous. Vous tenir dans mes bras... Embrasser votre bouche. Bon. Pour le moment, je crois que vous feriez mieux de sauter du lit, je vous ramène chez vos parents. Maintenant que je sais que vous m'aimez autant que je vous aime, je ne réponds plus de moi...

Samantha se renversa sur les draps, lui enlaçant le cou pour l'attirer contre elle.

– Le trajet est long jusqu'à la ferme, chuchotat-elle. Je n'aime pas rouler la nuit. D'ailleurs, je suis encore trop fatiguée pour sortir du lit. Je ne me sens même pas bien du tout. Il ne faut pas me laisser seule, il faut rester près de moi, Gary.

Il la contempla dans les yeux.

– Est-ce que vous savez bien ce que vous faites, Samantha? Vous avez donc tellement confiance en moi?

– Absolument. Je vous confie ma vie, mon amour, tout. Je ne garde rien. Vous voulez tout, vous aurez tout. Nous nous occuperons des papiers lundi, mais pour l'instant, je vous veux ici, près de moi.

Les lèvres de Gary se posèrent sur son cou.

– Tout ce que vous voudrez, mon amour. Mais si vous voulez vous reposer, je ne peux rien vous promettre...

Sa bouche se posa sur celle de Samantha. Il n'y avait rien à dire de plus.

63

NANCY JOHN

La mémoire du cœur

Est-ce possible que ce soit elle,
cette Jayne Stewart qui a ruiné le frère
de Wilfred? Wilfred... Comment mériter
son amour si elle a vraiment
mérité son mépris?
Seule rescapée d'un accident d'avion,
Jayne ne se souvient plus de rien...

64

MEREDITH LINDLEY

L'amour au long cours

Ce Brett Sterling pourrait vous rendre enragée!
Il soupçonne tout simplement Molly d'être
une jeune femme entretenue par son patron!
Elle qui ne rêve que de se retrouver
dans ses bras. Oui, mais pas comme ça...
Oh non! pas comme ça!...

65

RITA CLAY

Le prix du bonheur

Grâce au propriétaire des supermarchés
Idéal, Danny a gagné un séjour d'une semaine
à Acapulco, dans un palace... Si elle le pouvait,
elle l'embrasserait. Mais ce séjour commence
bien mal... Un certain Travis Cameron s'ingénie
à lui gâcher son paradis...

66 FERN MICHAELS

D'où viens-tu, bel étranger?

Au moment où Carolyn s'apprêtait à fermer
sa petite agence immobilière, un bel étranger
est entré. Mais Carolyn n'était pas d'humeur,
ce soir-là, à satisfaire ses caprices d'homme riche.
Et maintenant, le cœur battant,
elle guette la sonnerie du téléphone...

68 DIXIE BROWNING

Aquarelles sur le sable

Kate a loué une petite maison sur l'île
de Coranoke pour y donner des cours
d'été d'aquarelle. Et maintenant, son propriétaire
veut l'en chasser... Ce rustre aux yeux dorés
ne lui fait pas peur. Ce qu'elle craint,
c'est bien autre chose...

57 ELIZABETH HUNTER **Nuits cinghalaises**
58 PATTI BECKMAN **La peur du bonheur**
59 DONNA VITEK **voile d'or**
60 CATHRYN LADAME **Alec, prince des neiges**
61 DOROTHY VERNON **Des larmes de feu**
62 RENA McKAY **Par delà le désir**

63 NANCY JOHN **La mémoire du cœur**
64 MEREDITH LINDLEY **L'amour au long cours**
65 RITA CLAY **Le prix du bonheur**
66 FERN MICHAELS **D'où viens-tu, bel étranger?**
67 JOANNA SCOTT **Les masques de Samantha**
68 DIXIE BROWNING **Aquarelles sur le sable**

69 BROOKE HASTINGS **Amour sans merci**
70 LINDA WISDOM **Macha la douce**
71 CAROLE HALSTON **Un trop bel héritier**
72 ELAINE CAMP **Escale aux Caraïbes**
73 ANNE HAMPSON **Cœur à cœur**
74 DIXIE BROWNING **Le jardin des amours**

75 JANET DAILEY **La belle et le révérend**
76 SONDRA STANFORD **Les détours du cœur**
77 STEPHANIE JAMES **Le droit au bonheur**
78 NANCY JOHN **La fureur d'aimer**
79 FERN MICHAELS **Sur les vagues du désir**
80 LAURA HARDY **L'amour en pleurs**

 31, rue de Tournon, 75006 Paris

diffusion
France et étranger : Flammarion, Paris
Suisse : Office du Livre, Fribourg
diffusion exclusive
Canada : Éditions Flammarion Ltée, Montréal

Achevé d'imprimer sur les presses de l'imprimerie Brodard et Taupin
7, Bd Romain-Rolland, Montrouge. Usine de La Flèche,
le 30 août 1982. ISBN : 2 - 277 - 80067 - 8
1473-5 Dépôt Légal septembre 1982. Imprimé en France